O NATAL ESCONDIDO

Dados Internacionais de Catalogação na Publicação (CIP)
Angélica Ilacqua CRB-8/7057

Keller, Timothy
  O Natal escondido : a surpreendente verdade por trás do nascimento de Cristo / Timothy Keller ; tradução de Jurandy Bravo. - São Paulo: Vida Nova, 2017.
  176 p.

ISBN 978-85-275-0761-5
Título original: *Hidden Christmas: the surprising truth behind the birth of Christ*

1. Jesus Cristo - Natividade 2. Natal – Essência, natureza, etc. 3. Vida cristã I. Título II. Bravo, Jurandy

17-0722   CDD 232.92

Índices para catálogo sistemático:

1. Jesus Cristo - Natividade

AUTOR *BEST-SELLER* DO *NEW YORK TIMES*

TIMOTHY KELLER

O NATAL ESCONDIDO

A SURPREENDENTE VERDADE
POR TRÁS DO NASCIMENTO DE CRISTO

TRADUÇÃO
JURANDY BRAVO

VIDA NOVA

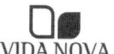

©2016, de Timothy Keller
Título do original: *Hidden Christmas: the surprising truth
behind the birth of Christ*, edição publicada pela Viking,
uma divisão da Penguin Random House LCC (New York, New York, EUA).

Todos os direitos em língua portuguesa reservados por
Sociedade Religiosa Edições Vida Nova
Rua Antônio Carlos Tacconi, 63, São Paulo, SP, 04810-020
vidanova.com.br | vidanova@vidanova.com.br

1.ª edição: 2017
Reimpressões: 2020, 2022, 2024

Proibida a reprodução por quaisquer meios,
salvo em citações breves, com indicação de fonte.

Impresso no Brasil / *Printed in Brazil*

Todas as citações bíblicas sem indicação da versão foram extraídas da
Almeida Século 21. As citações com indicação da versão *in loco* foram
extraídas da Nova Versão Internacional (NVI) ou da Almeida Corrigida e
Fiel (ACF) e traduzidas diretamente da New International Version (NIV).
Citações bíblicas com a sigla TA se referem a traduções feitas pelo autor a
partir do original grego/hebraico.

Direção executiva
Kenneth Lee Davis

Gerência editorial
Fabiano Silveira Medeiros

Edição de texto
Rosa M. Ferreira
Lucília Marques

Revisão da tradução
Rosa M. Ferreira

Preparação de texto
Marcia Medeiros

Revisão de provas
Ubevaldo G. Sampaio

Gerência de produção
Sérgio Siqueira Moura

Diagramação
Sandra Oliveira

Adaptação da Capa
Vania Carvalho

A meus netos,
Lucy, Kate, Charlotte, Miles,
"e talvez ainda outros mais que eu não consigo ver".

Possam todos encontrar alegria na
verdadeira história do Natal.

SUMÁRIO

Agradecimentos 9
Introdução 11

Capítulo 1 — Uma luz raiou 17
Capítulo 2 — As mães de Jesus 35
Capítulo 3 — Os pais de Jesus 59
Capítulo 4 — Onde está o Rei? 85
Capítulo 5 — A fé de Maria 103
Capítulo 6 — A fé dos pastores 127
Capítulo 7 — Uma espada na alma 145
Capítulo 8 — A doutrina do Natal 161

AGRADECIMENTOS

Mais uma vez sou grato a Janice Worth, cuja hospitalidade na ensolarada Flórida me concede todos os anos duas produtivas semanas de paz para escrever. Redigi este manuscrito em seu estúdio, um de meus espaços prediletos no mundo inteiro. Também agradeço a Brian e Jane McGreevy e a Lynn Land, de Charleston, Carolina do Sul, por fornecerem apoio crucial para nosso período de escrita em pleno veraneio.

Meu editor, Brian Tart, da Viking, e meu agente, David McCormick, foram, como sempre, parceiros e suporte incomparáveis para qualquer autor. Minha esposa, Kathy, embora não seja coautora deste livro, ajudou com a edição e lemos grande parte dele em voz alta um para o outro.

As ideias contidas no livro foram forjadas não na escrita, mas na pregação. Cada capítulo representa pelo menos dez meditações e sermões, ou quase isso, sobre o texto bíblico em questão. Esses sermões foram apresentados em cultos de Natal ao longo de algumas décadas. Assim, para finalizar, permita-me agradecer às igrejas em que minha família e eu comemoramos o nascimento de Jesus a cada ano. Entre elas estão as igrejas West Hopewell Presbyterian Church (Natais de 1975 a 1983), a New Life Presbyterian Church de Jenkintown, Pensilvânia (Natais de 1984 a 1988), e a Redeemer Presbyterian Church de Nova York (Natais de 1989 a 2016). Foi nessas igrejas e com esses amigos que aprendi o sentido infinitamente rico do Natal.

INTRODUÇÃO

O Natal é o único dia santo cristão que também representa um feriado secular importante — provavelmente o maior da nossa cultura.[1] O resultado são duas celebrações distintas, cada qual observada por milhões de pessoas ao mesmo tempo. Isso traz certo desconforto a ambos os lados. Para muitos cristãos, é impossível não notar que mais e mais festividades públicas em torno do Natal evitam de propósito quaisquer referências a suas origens cristãs. A música de fundo nas lojas está mudando de *Vinde, cantai! Jesus nasceu!* para *Então é Natal*. O feriado é promovido como tempo para a família, para dar presentes e para ter paz no mundo. "O Natal é um feriado secular maravilhoso", escreveu um entusiasta no popular site Gawker.[2]

---

[1] Para uma análise satírica das duas celebrações sobrepostas do Natal em nossa cultura, veja C. S. Lewis, "Xmas and Christmas: a lost chapter in Herodotus", in: *God in the dock* (Grand Rapids: Eerdmans, 1970), p. 334-8. Esse ensaio também pode está disponível em: www.khad.com/post/196009755/xmas-and-christmas--a-lost-chapter-from-heredotus, acesso em: 16 mar. 2017.

[2] Rich Juzwiak, "Christmas is a wonderful, secular holiday", Gawker.com, December 18, 2014, disponível em: http://gawker.com/christmas-is-a-wonderful-secular-holiday-1665427426, acesso em: 17 mar. 2017.

Contudo, é impossível os irreligiosos não perceberem que o antigo significado do Natal se intromete o tempo todo sem ser chamado — por exemplo, por meio da letra das canções tradicionais de Natal. Pode ser irritante ter de responder às indagações das crianças: "O que essa música quer dizer com 'nasce para nascermos de novo?'".

Como crente cristão, fico feliz em compartilhar os méritos desse dia com toda a sociedade. O Natal secular é um festival de luzes, tempo de reuniões em família e época de doação generosa aos que nos são mais próximos e aos mais necessitados. Essas práticas são enriquecedoras para todos e, na verdade, coerentes com as origens cristãs da celebração.

Dada a importância do Natal para o comércio, ele permanecerá conosco como uma festividade secular. Meu receio, no entanto, é que suas verdadeiras raízes se tornem cada vez mais ocultas para a maior parte da população. A ênfase na luz em meio à escuridão se deve à crença cristã de que a esperança do mundo vem de fora dele. Dar presentes é uma reação natural ao estupendo gesto de abnegação praticado por Jesus ao deixar de lado sua glória e nascer na raça humana. A preocupação com o necessitado lembra que o Filho de Deus não nasceu em uma família aristocrática, mas em uma família pobre. O Senhor do universo se identificou com os menores e os mais excluídos da raça humana.

São temas poderosos, mas cada um deles representa uma espada de dois gumes. Jesus veio como a luz porque somos espiritualmente cegos demais para encontrar nosso próprio caminho. Fez-se mortal e morreu porque estamos moralmente arruinados demais para ser perdoados de qualquer outro modo. Entregou-se para nós e por isso devemos nos doar totalmente para ele. Portanto, não somos "de [nós] mesmos" (1Co 6.19). O Natal, como o próprio Deus, é ao mesmo tempo mais maravilhoso e mais ameaçador do que imaginamos.

Todo ano, nossa sociedade ocidental cada vez mais secular torna-se menos consciente das próprias raízes históricas, muitas delas fundamentos da fé cristã. No entanto, uma vez por ano, no Natal, essas verdades básicas ficam um pouco mais acessíveis a uma enorme audiência. Em inúmeros encontros, concertos, festas e outros eventos, mesmo quando a maioria dos participantes não é religiosa, às vezes a essência da fé se torna visível. Como exemplo, vamos propor algumas perguntas sobre o famoso cântico de Natal *Eis dos anjos a harmonia*, ouvido em shopping centers, supermercados e nas esquinas.³ *Quem é Jesus?* O "Senhor eterno", que desceu "do mais alto céu" para ser "fruto do ventre da virgem". *O que veio fazer?* Sua missão é ver "Deus e pecadores reconciliados". *Como conseguiu isso?* Ele "deixa de lado sua glória" a fim de que "não morramos mais". *Como essa vida pode ser nossa?* Por meio de uma regeneração espiritual e interna tão radical que, como vimos, pode ser chamada "segundo nascimento".⁴ Com estilo enxuto e brilhante, o cântico nos oferece um resumo do ensinamento cristão inteiro.

Embora poucas das canções e das leituras bíblicas de Natal mais familiares sejam abrangentes assim, permanece o fato de que, em determinada época do ano, caso centenas de milhares de pessoas se dessem ao trabalho de fazer essas perguntas, encontrariam este mesmo conhecimento ao seu alcance. Compreender o Natal *é* compreender os fundamentos do cristianismo, o evangelho.

Neste livro, espero tornar as verdades do Natal menos obscuras. Examinaremos algumas passagens

---

³Charles Wesley, *Hark! The herald angels sing* (1739) [versão em português: *Eis dos anjos a harmonia*, tradução de rev. Robert Hawkey Moreton], disponível em: http://cyberhymnal.org/htm/h/h/a/hhangels.htm, acesso em: 18 mar. 2017.

⁴Citações traduzidas da letra original em inglês. (N. do T.)

da Bíblia que são famosas porque sacudimos a poeira delas todo Natal, no único momento do ano em que nossa sociedade secular e a igreja cristã, de certa forma, refletem sobre o Natal. Nos primeiros capítulos do livro, examinando o Evangelho de Mateus, aprenderemos sobre as dádivas que Deus nos concedeu no Natal. Nos capítulos posteriores, redirecionando o foco para o Evangelho de Lucas, consideraremos como podemos dar as boas-vindas a essas dádivas e então recebê-las.

Minha esperança é que, no final, o verdadeiro sentido do Natal não esteja mais escondido do leitor.

1

✴

UMA LUZ RAIOU

O povo que andava em trevas viu uma grande luz; e resplandeceu a luz sobre os que habitavam na terra da sombra da morte. [...] Porque todo calçado pesado de guerreiro e toda capa encharcada de sangue serão queimados, destruídos pelo fogo. Porque um menino nos nasceu, um filho nos foi concedido. O governo está sobre os seus ombros, e o seu nome será: Maravilhoso Conselheiro, Deus Forte, Pai Eterno, Príncipe da Paz. O seu domínio aumentará, e haverá paz sem fim... (Is 9.2,5-7).

O surgimento das luzes é um dos primeiros indícios da época de Natal. Há luzes nas ruas, velas nas janelas, brilho por todo lado. Na cidade de Nova York, as luzes do Natal encantam até os moradores mais *blasés*. Tudo parece envolto em milhões e milhões de estrelas. O que vem bem a calhar, pois o dia 25 de dezembro segue-se ao período do ano mais escuro no mundo mediterrâneo e na Europa, onde as comemorações do Natal aconteciam. Todavia, essas luzes todas não são apenas decorativas; são simbólicas.

AS TREVAS DO MUNDO

Não importa o que você pretende fazer em um cômodo qualquer, primeiro tem de acender a luz ou não conseguirá enxergar nada. O Natal contém muitas verdades espirituais, mas será difícil entender as outras se não compreendermos primeiro essa. Que o mundo é um lugar escuro, e que jamais encontraremos o caminho ou enxergaremos a realidade a menos que Jesus seja a nossa Luz. Mateus, citando Isaías 9.1,2, nos diz que "o povo que vivia em trevas viu uma grande luz; sim, uma luz raiou" (Mt 4.16). Acerca de Jesus, João ensina: "Pois a verdadeira luz, que ilumina a todo homem, estava chegando ao mundo. O Verbo estava no mundo, e este foi feito por meio dele, mas o mundo não o reconheceu" (Jo 1.9,10).

Em que sentido o mundo está "em trevas"? Na Bíblia, o termo "trevas" se refere tanto ao mal quanto à ignorância. Significa primeiro que o mundo está repleto de maldade e sofrimento atroz. Veja o que acontecia na época do nascimento de Jesus: violência, injustiça, abuso de poder, gente sem ter onde morar, refugiados fugindo da opressão, famílias em cacos e uma angústia sem fim. Exatamente como nos nossos dias.

O outro sentido em que nosso mundo está "em trevas" é por ninguém saber o suficiente para curar o mal e o sofrimento nele existentes. Isaías 9.2, "O povo que andava em trevas viu uma grande luz", é um texto cristão famoso, consagrado pelo *Messias* de Handel como uma das profecias do nascimento de Jesus. No entanto, é o final de Isaías 8 que explica por que necessitamos da luz de Deus. Nos versículos 19 e 20, vemos pessoas consultando médiuns e feiticeiros em vez de Deus. Até que o capítulo chega ao fim: "Passarão pela terra oprimidos e famintos [...] Então, olharão para a terra e verão angústia, escuridão e assombro..." (v. 21,22).

O que acontece aqui? Voltam-se para a terra e para os recursos humanos com o intuito de consertar o mundo. Recorrem a seus especialistas, aos místicos, aos sábios em busca de soluções. Sim, dizem eles, estamos na escuridão, mas podemos vencê-la com nossos próprios esforços. As pessoas afirmam o mesmo hoje em dia. Algumas se voltam mais para o Estado, outras mais para o mercado, e todas se voltam para a tecnologia. Contudo, todas compartilham de idêntica pretensão. As coisas estão obscuras, mas acreditamos ser capazes de pôr fim à escuridão com intelecto e inovação.

Anos atrás, li um anúncio no *New York Times* que dizia: "O sentido do Natal é que o amor triunfará, e conseguiremos construir um mundo de união e paz". Em outras palavras, *nós* temos a luz em nosso interior, portanto somos nós que podemos dissipar a escuridão do mundo. Podemos vencer a pobreza, a injustiça, a violência e o mal. Se trabalharmos juntos, podemos criar um "mundo de união e paz".

Será mesmo? Um dos líderes mundiais do fim do século 20 mais dado à reflexão foi Václav Havel, primeiro presidente da República Tcheca. Ele ocupava uma posição estratégica, a partir da qual espreitava em profundidade tanto o socialismo quanto o capitalismo, e não se mostrou otimista de que um ou outro pudesse, por si só, solucionar os maiores problemas humanos. Sabia que a ciência sem o direcionamento dos princípios morais nos dera o Holocausto. Concluiu que nem a tecnologia, nem o Estado, tampouco o mercado sozinho podiam nos salvar do conflito nuclear, da violência étnica ou da degradação ambiental. "'A busca de uma vida de bem-estar não ajudará a humanidade a se salvar, nem a democracia sozinha é suficiente', disse [Havel]. 'Um retorno para Deus e a busca de [...] Deus são necessários'."[1] A raça humana

---

[1] Robert Marquand, "Václav Havel: crisis of 'human spirit' demands spiritual reawakening", *Christian Science Monitor*, December 22, 2011, disponível em: http://www.csmonitor.com/World/Europe/2011/1223/Vaclav-Havel-crisis-of-human-spirit-demands-spiritual-reawakening, acesso em: 19 mar. 2017.

se esquece a todo instante, ele acrescentou, de que "não é Deus".²

O REALISMO DO NATAL

Apesar da sinceridade do anunciante do *Times*, a mensagem do Natal *não* é que "conseguiremos construir um mundo de união e paz". Na verdade, é exatamente o contrário. Havel destaca bem: a humanidade não pode salvar a si mesma. Aliás, argumenta ele, a crença de que somos capazes de nos salvar — de que um sistema político ou uma ideologia tem poder para consertar problemas humanos — só tem levado a mais escuridão. Se, como o filósofo Bertrand Russell, você não crê na existência de um Deus ou de qualquer dimensão sobrenatural que transcenda a realidade em absoluto e recorre à ciência para que o ilumine, as coisas acabam ainda mais obscuras:

> Esse é, em resumo, porém ainda mais sem sentido, mais desprovido de significado, o mundo que a ciência apresenta para nele crermos. [...] Que o homem

---

²Stanford University News Service, "Czech president Václav Havel's visit to Stanford" (news release), October 4, 1994, disponível em: http://web.stanford.edu/dept/news/pr/94/941004Arc4108.html, acesso em: 19 mar. 2017.

é o produto de causas sem qualquer previsão do fim a que chegariam; que sua origem, desenvolvimento, esperanças e medos, amores e crenças não passam do resultado de disposições acidentais de átomos; que nenhum fervor, nenhum heroísmo, nenhuma intensidade de pensamento e sentimento é capaz de preservar a vida do indivíduo além-túmulo; que toda a labuta de gerações, toda a devoção, toda a inspiração, todo o esplendor do meio-dia do gênio humano estão destinados à extinção na incomensurável morte do sistema solar; e que o templo inteiro da realização do homem deve inevitavelmente ser sepultado sob os escombros de um universo em ruínas [...] Só nos andaimes dessas verdades, só sobre os alicerces firmes do desespero inflexível pode aí a habitação da alma ser edificada com segurança.[3]

Essa é uma visão obscura de verdade! E confirma o que vimos em Isaías 8: se nos voltarmos apenas para este mundo e os recursos humanos, a escuridão só piora.

O Natal, portanto, é o modo menos sentimental e mais realista de se ver a vida. Ele não diz: "Alegrem-se!

---

[3] De Bertrand Russell, "A free man's worship", in: *Mysticism and logic: and other essays* (London: Longmans, Green, and Company, 1919), p. 47-8. O ensaio completo também está disponível em vários endereços da internet.

Unindo nossas forças, podemos fazer do mundo um lugar melhor". A Bíblia jamais aconselha a indiferença para com as forças das trevas, só a resistência, mas ela não apoia nenhuma ilusão de que possamos derrotá-las por nós mesmos. O cristianismo não concorda com os pensadores otimistas que dizem: "Podemos dar um jeito em tudo isso se formos persistentes o bastante". Tampouco concorda com os pessimistas que só enxergam um futuro distópico. Em vez disso, a mensagem do cristianismo é: "As coisas vão mesmo muito mal, e não temos como curar ou salvar a nós mesmos. As coisas vão mesmo muito mal — *contudo*, há esperança". A mensagem do Natal é que "resplandeceu a luz sobre os que habitavam na terra da sombra da morte". Observe que a Bíblia não diz que uma luz brotou do mundo, mas que uma luz raiou sobre o mundo. Ela veio de fora. Há luz fora deste mundo, e Jesus a trouxe para nos salvar; de fato, ele *é* a Luz (Jo 8.12).

O SIGNIFICADO DA LUZ

Quando Isaías fala da luz de Deus "resplandecendo" sobre um mundo em trevas, usa o sol como símbolo. A luz do sol traz *vida*, *verdade* e *beleza*.

O sol nos dá vida. Se ele se apagasse, congelaríamos. É a fonte de toda vida. Por isso a Bíblia também diz que só em Deus "vivemos, nos movemos e existimos" (At 17.28). Existimos apenas porque ele nos sustenta, mantendo-nos em pé a cada instante. Você toma seu ser emprestado dele. Isso é verdade não só em relação a seu corpo físico, mas também quanto a seu espírito, sua alma. De acordo com a Bíblia, perdemos o relacionamento original, pleno, correto com Deus que tínhamos no início (Gn 3.1-24). Essa é a razão pela qual acabaremos conhecendo a morte física e por que hoje experimentamos morte espiritual: perda de sentido e esperança, desejos descontrolados e instigados por vícios, insatisfação profunda que não pode ser aplacada, vergonha e lutas com a identidade e incapacidade de mudar.

O sol nos mostra a verdade. Se você dirigir um carro à noite sem acender os faróis, é provável que colida. Por quê? A razão é que o farol revela a verdade, como as coisas são de fato, e não haverá verdade suficiente que lhe permita manobrar o carro com segurança. A Bíblia também afirma que Deus é a fonte de toda verdade (1Jo 1.5,6). Em um primeiro plano, a única razão para você saber algo é o fato de Deus existir. Ele fez sua mente e suas faculdades cognitivas. Em outro, não nos é possível saber quem é Deus a menos que ele se revele a nós, o que ele o faz na Bíblia. Só por meio dele sua capacidade de raciocínio funciona, e só por sua Palavra você pode compreender verdadeiramente quem ele é e, portanto, quem você é: criação de Deus.

O sol é belo. A luz deslumbra e dá alegria. Essa é uma verdade literal. Muitos sofrem de depressão em locais onde só há poucas horas com luz do dia em determinadas épocas do ano. Precisamos de luz para ter alegria. Deus é a fonte de toda beleza e alegria. Há uma frase famosa de Santo Agostinho: "Nosso coração não tem sossego até encontrar descanso em ti".[4] Agostinho acreditava que, mesmo quando você parece desfrutar de outra coisa qualquer, Deus é a real fonte da sua alegria. O que você ama vem dele e é passível de ser amado por trazer a assinatura dele. Toda alegria se encontra na verdade em Deus, e qualquer coisa de que você desfrute é um derivado, pois o que de fato está procurando é *ele*, saiba você disso ou não.

O RESPLANDECER DA LUZ

Só Deus, então, tem a vida, a verdade e a alegria que nos faltam e que não somos capazes de gerar. Como essa luz divina pode "raiar" ou, como diz Isaías 9,

---

[4]Augustine, *Confessions*, tradução para o inglês de Henry Chadwick (Oxford: Oxford University Press, 1991) [edição em português: *Confissões*, tradução de Frederico Ozanam Pessoa de Barros, Introdução de Riolando Azzi (Rio de Janeiro: Ediouro, 1993)].

"*resplandecer*" literalmente sobre nós? Os versículos 6 e 7, os mais conhecidos do capítulo, respondem com atordoante objetividade. O texto nos fala que a luz veio "*porque* um menino nos nasceu". O menino a traz, pois ele é "Maravilhoso Conselheiro, Deus Forte, Pai Eterno, Príncipe da Paz". Digno de nota é que os quatro títulos aplicados a essa criança pertencem só a Deus. Ele é o Deus poderoso. É o Pai eterno, que quer dizer Criador; no entanto, ele *nasceu*. Não há nada parecido com essa afirmação em nenhuma das outras grandes religiões. Ele é um ser humano. Contudo, não se trata apenas de uma espécie de avatar do princípio divino. Ele é Deus!

Dizer que "comemoramos" esse fato no Natal chega a ser quase limitador. Estupefatos, arregalamos os olhos, perdidos em deslumbramento, amor e louvor. No restante deste livro, trataremos das várias implicações de Deus ter nascido em nosso mundo. Mencionemos apenas duas aqui, no início.

Antes de tudo, se Jesus Cristo é mesmo Deus Forte e Pai Eterno, não se pode simplesmente *gostar* dele. Na Bíblia, as pessoas que o viram e ouviram de verdade nunca reagiram com indiferença ou moderação. A partir do momento que compreendiam o que ele afirmava acerca de si próprio, ou tinham medo dele, ou ficavam furiosas com ele, ou se ajoelhavam diante dele e o adoravam. Mas ninguém simplesmente gostava dele. Ninguém dizia: "Ele me inspira tanto. Faz com que eu deseje levar uma vida melhor". Se o bebê que nasceu no Natal é o Deus todo-poderoso, você deve servi-lo por inteiro. Voltaremos a considerar essa implicação no capítulo 3.

Segundo, se Jesus é Maravilhoso Conselheiro e Príncipe da Paz, você deveria *sentir vontade* de adorá-lo. Por que ele é chamado de "conselheiro"? Quando você passa por grande dificuldade, é bom conversar com alguém que já trilhou esse caminho, com conhecimento pessoal do que você está enfrentando. Se Deus de fato nasceu em uma manjedoura, então temos algo que nenhuma outra religião jamais afirmou ter. Temos um Deus que o compreende de verdade, na sua experiência mais profunda. Nenhuma outra religião afirma que Deus sofreu, que precisou ser corajoso, que sabe como é ser abandonado pelos amigos, esmagado pela injustiça, torturado e morto. O Natal mostra que ele sabe o que você está passando. Quando você lhe fala, ele entende.

Dorothy Sayers, ensaísta e romancista britânica, disse anos atrás:

> A encarnação significa que, seja qual for a razão pela qual Deus escolheu deixar-nos cair [...] para

sofrer, para nos sujeitar às dores e à morte —, ainda assim ele teve a honestidade e a coragem de provar do próprio remédio. [...] Não pode cobrar nada do homem que não tenha cobrado de si próprio. Passou por toda a experiência humana — das irritações triviais da vida familiar, das restrições limitadoras do trabalho duro e da falta de dinheiro aos piores horrores da dor e da humilhação, da derrota, do desespero e da morte. [...] Nasceu em pobreza e [...] sofreu dor infinita — tudo por nós — e achou que valia muito a pena.[5]

Isaías o chama de *Maravilhoso* Conselheiro, significando que ele é belo. Talvez agora vislumbremos a razão disso. Ele era detentor da superioridade infinita de ser Deus todo-poderoso, mas tornou-se um de nós, enredado em nossa condição, a fim de conhecer nossa escuridão. Salvou-nos indo para a cruz, e fez isso em uma atitude absolutamente voluntária, espontânea, por puro amor. Isso é belo. Quando consideramos algo belo, não apenas um dever, demoramo-nos e permanecemos diante disso que achamos belo, visto que proporciona satisfação em si mesmo.

---

[5]Dorothy L. Sayers, "The greatest drama ever staged", in: *Creed or chaos? And other essays in popular theology* (London: Hodder and Stoughton, 1940), p. 6.

Desse modo, a razão pela qual deveríamos obedecer-lhe, não só por sermos obrigados, mas também por querermos, é que, à luz de tudo que tem feito por nós, ele é maravilhoso.

Resumindo, Jesus é a luz divina do mundo por trazer uma nova vida para substituir nossa apatia espiritual, por nos mostrar a verdade que cura nossa cegueira espiritual e porque ele é a beleza que anula nossos vícios ligados a dinheiro, sexo e poder. Como Maravilhoso Conselheiro, ele caminha conosco quando adentramos e atravessamos a sombra da morte (Mt 4.16), onde ninguém mais pode nos acompanhar. Ele é uma luz para nós quando todas as outras luzes se apagam.[6]

A LUZ DA GRAÇA

Mas como essa luz pode se tornar nossa? Observe que não está escrito apenas: "Porque um menino nos nasceu...", mas também: "... um filho nos foi concedido...". Trata-se de um presente que só pode ser seu se você estiver disposto a recebê-lo de graça.

---

[6] J. R. R. Tolkien, *The two towers* (New York: Random House, 1986), p. 372 [edição em português: *As duas torres*, tradução de Lenita Maria Rimoli Esteves, Almiro Pisetta (São Paulo: Martins Fontes, 1994)].

O versículo 5 sugere o mesmo. Fala de uma grande batalha, mas diz: "Porque todo calçado pesado de guerreiro e toda capa encharcada de sangue serão queimados, destruídos pelo fogo". Esse conjunto de imagens vívidas significa que a grande vitória sobre o mal não exigirá nossa força. Não necessitaremos do calçado pesado do guerreiro. Não precisaremos de armadura ou de espada. Derreta-os. Queime-os. Outra pessoa travará a luta em seu lugar. Quem?

Isaías não nos conta aqui. Você tem de esperar até chegar aos "Cânticos do servo" de Isaías 42—55, nos quais o profeta aponta para um misterioso libertador que está por vir e sobre quem ele fala: "Mas ele foi ferido por causa das nossas transgressões e esmagado por causa das nossas maldades; o castigo que nos traz a paz estava sobre ele, e por seus ferimentos fomos sarados" (Is 53.5). Ao ir para a cruz, Jesus pagou a pena por nosso pecado. Quando confiamos na obra de Cristo em nosso benefício, em vez de em nossos próprios esforços mortais, Deus nos perdoa, nos aceita e implanta seu Espírito Santo em nós de modo a nos renovar de dentro para fora. Essa grande salvação, essa luz que resplandece sobre você com toda a nova vida, verdade e beleza que ela traz é concedida como um presente. O único modo de recebê-la é admitindo tratar-se de uma graça imerecida.

Natal tem relação com troca de presentes, mas considere como é desafiador receber determinados tipos de presentes. Alguns, pela própria natureza, o obrigam a engolir seu orgulho. Imagine abrir o presente de um amigo na manhã de Natal — e é um livro de dietas. Você então abre o próximo embrulho e descobre outro livro de um segundo amigo: *Superando o egocentrismo*. Se lhes disser um "*Muito* obrigado", de certa forma estará reconhecendo: "Porque de fato sou gordo e insuportável". Em outras palavras, alguns presentes são difíceis de receber, pois fazê-lo é admitir os próprios defeitos, fraquezas e a necessidade de ajuda. Talvez, em algum momento, um amigo seu descobriu que você passava por problemas financeiros e o procurou para oferecer uma grande soma de dinheiro e, assim, tirá-lo do apuro. Se isso já lhe aconteceu, provavelmente você descobriu que receber o presente significava engolir o orgulho.

Nunca um presente que lhe foi oferecido o fez engolir seu orgulho com a profundidade que o presente de Jesus requer. Natal significa que estamos tão perdidos, tão incapazes de nos salvar, que nada menos do que a morte do Filho do próprio Deus poderia nos salvar. Isso mostra que você *não* é alguém capaz de levantar a cabeça e levar uma vida moralmente correta e boa.

Para aceitar o verdadeiro presente do Natal, você tem de admitir que é pecador. Precisa ser salvo pela graça. Precisa abrir mão do controle de sua vida. Isso é descer mais baixo do que qualquer um de nós tem realmente vontade de fazer. Contudo, a grandiosidade de Jesus Cristo é vista no quanto ele se rebaixou ao vir até aqui nos amar. Sua regeneração espiritual e eventual grandeza serão alcançadas percorrendo o mesmo caminho. Ele desceu para se tornar grande, e a Bíblia diz que só pelo arrependimento você vem para a sua luz. C. S. Lewis expressa isso com perfeição. Na encarnação, diz ele,

> enxergamos um novo princípio-chave — o poder do Altíssimo, à medida que ele é de fato Altíssimo, de descer, o poder do maior de incluir o menor. [...] Em toda parte o grande se insere no pequeno — o poder de fazê-lo é quase o teste de sua grandeza. Na história cristã Deus [...] desce; das alturas do ser absoluto ele desce para o tempo e o espaço, para a humanidade; mais ainda, se os embriólogos estiverem certos, a fim de recapitular no ventre fases antigas e pré-humanas da vida [...] chega às raízes, ao leito sob o mar da natureza que criou. Desce para tornar a subir e trazer consigo o mundo inteiro em ruínas. [...] Pode-se pensar

no mergulhador, primeiro reduzido à nudez, depois olhando rápido para todo lado em pleno salto, então desaparecendo em um mergulho, sumindo, projetando-se pela água verde e quente até a água escura e fria, atravessando a pressão crescente até a região semelhante à morte do limo, da lama e da velha decomposição; até subir outra vez, de volta à cor e à luz, os pulmões quase estourando, até de repente irromper mais uma vez pela superfície, tendo nas mãos o objeto precioso e gotejante que desceu para recuperar.[7]

Quando Jesus morreu na cruz, as trevas desceram sobre a terra (Mt 27.45). A luz do mundo penetrou as trevas a fim de nos trazer para a maravilhosa luz divina (1Pe 2.9). As promessas do Natal não podem ser discernidas a menos que primeiro se reconheça que não há como salvar nem conhecer a si mesmo sem a luz da graça imerecida de Deus em sua vida. Essa é a verdade fundamental a partir da qual podemos prosseguir para aprender os sentidos escondidos do Natal.

---

[7] C. S. Lewis, *Miracles* (New York: Macmillan, 1947), p. 115-6 [edição em português: *Milagres*, tradução de Ana Schäffer (São Paulo: Vida, 2006)].

2

AS MÃES DE JESUS

> Livro da genealogia de Jesus Cristo [...] Judá gerou, de Tamar, Farés e Zará; [...] Boaz gerou, de Rute, Obede; [...] Davi gerou, daquela que havia sido mulher de Urias, Salomão; [...] José, marido de Maria, da qual nasceu Jesus, chamado Cristo. Assim, todas as gerações de Abraão até Davi foram catorze; de Davi até o exílio na Babilônia, catorze; e do exílio na Babilônia até o Cristo, catorze (Mt 1.1,3,5,6,16,17).

O relato do nascimento de Jesus no Evangelho de Mateus começa não com os fatos da natividade em si, já bem conhecidos: a estrela, os pastores e a manjedoura. Ele parte da névoa de tempos ainda mais antigos, fornecendo uma longa e aparentemente enfadonha genealogia. É fácil perder a paciência com esses versículos e deixar os olhos correrem sobre as palavras até chegarem à ação de fato. No entanto, o Natal não tem relação apenas com um nascimento, mas com uma *vinda*. Deus planejara a chegada do seu Filho antes mesmo de criar a terra (Ap 13.8) e, como todo bom escritor, prenunciou a pessoa grandiosa que Jesus seria no decorrer da história.

De modo que aprendemos aqui muito mais do que você talvez imaginasse a princípio. O que essas genealogias nos falam sobre o significado do Natal e do cristianismo? Faremos duas descobertas a partir do que Mateus *não* diz e duas a partir do que ele diz.

EVANGELHO SÃO BOAS-NOVAS, NÃO BONS CONSELHOS

Mateus não inicia seu relato do nascimento de Jesus com um "Era uma vez". Assim começam os contos, lendas, mitos e a *Guerra nas estrelas*. "Era uma vez" sinaliza que provavelmente a história não aconteceu ou que não sabemos se aconteceu, mas é uma bela narrativa e que nos ensina muito. Mas não é esse o tipo de relato que Mateus nos faz. Diz ele: "Livro da genealogia de Jesus Cristo...". Isso significa que ele está fundamentando quem Jesus Cristo é e o que ele faz na história. Não se trata de uma metáfora. Ele é real. Tudo isso aconteceu.

Eis a razão pela qual isso é tão importante. "Conselho" é uma recomendação do que você deve fazer. "Novas" são um relato do que já *foi feito*. O conselho o incentiva a fazer algo acontecer. As novas o incentivam a reconhecer algo que já aconteceu e a ele reagir a isso. O conselho diz que cabe a você agir. As novas dizem que outra pessoa agiu. Suponhamos que um exército invasor avance sobre uma cidade. Ela precisa de conselheiros militares; necessita de conselho. Alguém tem de explicar que os bastiões e as trincheiras devem ficar ali, os atiradores de elite mais adiante e os tanques lá embaixo.

Todavia, se um grande rei interceptou e derrotou o exército invasor, do que a cidade precisa? Não de conselheiros militares; ela precisa de mensageiros, e o termo grego para mensageiros é *angelos*, anjos. Mensageiros não dizem: "Aqui está o que vocês precisam fazer". Em vez disso, anunciam: "Trago-lhes notícias de grande alegria". Em outras palavras: "Parem de fugir! Parem de construir fortificações. Parem de tentar se salvar. O Rei já os salvou". Algo foi feito, e isso muda tudo.

Os textos bíblicos de Natal são relatos do que de fato aconteceu na história. Não são as Fábulas de Esopo, exemplos inspiradores de como viver bem. Muitos acreditam que o evangelho é apenas mais uma narrativa moralizante. Não poderiam estar mais errados. Não existe nenhuma "moral da história" na natividade. Os pastores, os pais de Jesus, os magos — não são apresentados acima de tudo como exemplos para nós. Essas narrativas do evangelho estão lhe dizendo não o que você deveria fazer, mas o que Deus fez. O nascimento do Filho de Deus no mundo é um evangelho, as boas-novas, uma proclamação. Você não se salva. Deus veio salvá-lo.

Eu diria que outras religiões e muitas igrejas, ao falarem sobre salvação, entendem-na e proclamam-na como um conselho. Salvação é algo pelo que *você* tem de batalhar e lutar, que *você* tem de alcançar. Só acontece se você orar, obedecer ou transformar sua consciência. Mas o evangelho cristão é diferente. Os fundadores das grandes religiões afirmam, de um jeito ou de outro: "Estou aqui para lhes mostrar o caminho para a realidade espiritual. *Façam* tudo o que digo". Isso é conselho. Jesus Cristo, o fundador do cristianismo, vem e diz: "Sou a realidade espiritual em pessoa. Você jamais conseguiria me alcançar, por isso tive de descer até aqui". Isso é novidade.

Claro, o Natal é só o começo da história de como Deus veio nos salvar. Jesus terá de ir para a cruz. Contudo, sua vida e salvação inteiras encontram-se aqui em forma embrionária, prenunciando o que acontecerá. Ele veio para tomar nosso lugar, para pagar o preço por nosso pecado, para receber o que merecemos. Onde, à luz do nosso pecado contra Deus e nosso próximo, merecemos estar? No frio e na escuridão.

Jesus nasceu na estrebaria fria e escura, mas isso era apenas um prenúncio. No fim de sua vida, ele clamou: "... Deus meu, Deus meu, por que me desamparaste?" (Mt 27.46). Na cruz, ele foi lançado na escuridão espiritual, a fim de que pudéssemos ser trazidos para o calor e a luz da presença de Deus.

Portanto, primordialmente, o cristianismo não tem relação com o autoaperfeiçoamento. Não é apenas a frequência a um lugar para conseguir um pouco de inspiração e orientação para a vida. Claro que o evangelho cristão tem enormes implicações em como se vive. Mas ele é, antes de mais nada, a mensagem de que você precisa ser salvo e de que não é salvo de modo algum pelo que pode fazer, mas, sim, pelo que ele fez. Você começa com Cristo não ao adotar uma ética ou virar uma página, nem mesmo ao se juntar a uma comunidade. Não, você começa crendo no relato do que aconteceu na história. Deus se tornou um ser humano de verdade? Jesus realmente viveu, sofreu e morreu por você? Ele de fato ressuscitou triunfante do túmulo? Se for esse o caso, então tudo mais que a Bíblia diz sobre como viver faz sentido. No entanto, se o relato bíblico parte de um "Era uma vez", se é um conselho inspirador e não a declaração dos maiores acontecimentos da história, então é tudo bobagem. O Natal nos mostra que cristianismo não é bom conselho. É boas-novas.

O RELATO DO EVANGELHO MUDA A MANEIRA DE LER OUTRAS HISTÓRIAS

A história de Natal não é ficção, mas, ainda assim, eu diria que ela muda de uma maneira maravilhosa como interpretamos a ficção.

Pouco antes do lançamento do primeiro *O senhor dos anéis*, dirigido por Peter Jackson, uma série de artigos de críticos literários e de outras elites culturais lamentaram o apelo popular de fantasias, mitos e lendas, muitos dos quais (no modo de entender deles) promoviam pontos de vista retrógrados. Espera-se de pessoas modernas que sejam mais realistas. Deveríamos compreender que nada é preto e branco, mas cinza, que os finais felizes são cruéis, porque a vida não é assim. Na revista *The New Yorker*, Anthony Lane escreveu acerca do romance de Tolkien: "É um livro cheio de bravatas, e, no entanto, entregar-se a ele — sucumbir a ele [gostar de verdade dele], como muitos de nós fizemos em uma primeira leitura — revela [...] uma relutância em enfrentar as nuances mais sutis da vida que beira a covardia".[1] No entanto, Hollywood continua reciclando contos de fadas sob várias formas porque as pessoas têm fome deles.

---

[1] Anthony Lane, "The Hobbit habit", *New Yorker*, December, 10, 2001.

Os grandes contos de fadas e lendas — *A Bela e a Fera*, *A Bela Adormecida*, *O rei Artur*, *Fausto* — não aconteceram de verdade, claro. Não são fatos reais. Contudo, parecem suprir um conjunto de anseios do coração humano que a ficção realista nunca é capaz de alcançar ou satisfazer. Isso acontece porque no fundo do coração humano existem esses desejos — de experimentar o sobrenatural, de fugir da morte, de conhecer um amor que jamais podemos perder, de não envelhecer, e sim viver o suficiente para concretizar nossos sonhos criativos, de voar, de nos comunicar com seres inumanos, de triunfar sobre o mal. Se as histórias fantásticas forem bem contadas, nós as consideraremos incrivelmente emocionantes e satisfatórias. Por quê? Pelo fato de, mesmo sabendo que na realidade essas histórias não aconteceram, nosso coração anseia por essas habilidades e conquistas, e porque uma história bem contada satisfaz momentaneamente nossos desejos, aliviando um pouco esse incrível anseio.

A Bela e a Fera nos fala da existência de um amor capaz de nos resgatar da brutalidade que criamos para nós mesmos. *A Bela Adormecida* nos conta que nos encontramos em uma espécie de feitiço do sono e que existe um príncipe imponente capaz de vir quebrá-lo. Ouvimos essas histórias e elas mexem conosco, pois no fundo do coração nós cremos, ou queremos crer, que esses fenômenos são verdadeiros. A morte *não* deveria ser o fim. Nós *não* deveríamos perder nossos entes queridos. O mal *não* deveria triunfar. O coração sente que, embora as histórias em si não sejam verdadeiras, as realidades por trás delas são de alguma forma verdadeiras ou *deveriam ser*. Mas a mente diz não, e os críticos dizem não. Insistem em que, quando você se entrega a contos de fadas e acredita de fato em absolutos morais, no sobrenatural e na ideia de que viveremos para sempre, nada disso tem relação com a realidade. É uma covardia entregar-se a esse tipo de ideia.

Chegamos então à narrativa do Natal. À primeira vista, ela se parece muito com outras lendas. Aqui está um relato sobre alguém de um mundo diferente que ingressa no nosso, alguém que tem poderes miraculosos, consegue acalmar a tempestade, curar e ressuscitar pessoas. Até que seus inimigos o entregam, ele é condenado à morte e parece que toda esperança se acabou, mas por fim ele ressuscita dos mortos e salva todo o mundo. Lemos isso e pensamos: "Mais um grande conto de fadas!". De fato, parece que a história do Natal é mais um relato *apontando* para essas realidades subjacentes.

No entanto, o Evangelho de Mateus nega essa ideia ao fundamentar Jesus na história, não em um

"Era uma vez". Diz que isso não tem nada de conto de fadas. Jesus Cristo não é mais uma história adorável apontando para essas realidades subjacentes — ele *é* a realidade subjacente para a qual todas as histórias apontam.

Jesus Cristo veio do mundo eterno e sobrenatural que sentimos existir, que nosso coração sabe que existe, embora a cabeça diga que não. No Natal, ele abriu uma passagem entre ideal e real, eterno e temporário e ingressou em nosso mundo. Isso significa, se Mateus estiver certo, que *existe* uma bruxa má neste mundo, e que estamos debaixo de um feitiço, e que *existe* um príncipe imponente que quebrou o feitiço, e que existe um amor do qual jamais seremos separados. E voaremos de verdade um dia, derrotaremos a morte, e neste mundo, hoje "[vermelho] nas presas e garras", um dia até as árvores dançarão e cantarão (veja Sl 65.13; 96.11-13).[2]

Em outras palavras, embora os contos de fadas não sejam fatos reais, a verdade de Jesus significa que todas as histórias que amamos não são de modo nenhum um escapismo. De certa forma, elas (ou as realidades sobrenaturais para as quais apontam) se tornarão realidade nele.

---

[2]A frase "a Natureza, vermelha nas presas e garras" é de Alfred Lord Tennyson, *In memoriam*, Canto 56 (Cambridge, Reino Unido: Cambridge University Press, 2013), p. 80.

Para o cristão, é difícil saber o que dizer à criança que lê um livro e diz: "Eu queria que existisse um príncipe que nos salvasse do dragão. Eu queria que o Super-Homem fosse de verdade. Eu queria que pudéssemos voar. Eu queria que pudéssemos viver para sempre". Você não pode simplesmente falar sem pensar: "Existe! Faremos tudo isso!". No filme *Hook — a volta do capitão Gancho*, Maggie Smith faz o papel de uma Wendy já idosa, da história de Peter Pan. Há uma cena em que ela conversa com Robin Williams, um Peter Pan adulto sofrendo de amnésia. Ele se diverte com as histórias que Wendy conta a seus filhos, mas em determinado momento ela o encara e diz: "Peter, essas histórias são reais". Se o Natal de fato aconteceu, isso significa que a raça humana inteira sofre de amnésia, mas as histórias que mais amamos não são na verdade apenas um entretenimento escapista. O evangelho, por ser uma história real, significa que todas as melhores histórias demonstrarão, em última análise, ser verdadeiras.

O EVANGELHO DEIXA OS VALORES DO MUNDO DE CABEÇA PARA BAIXO

Vimos o que Mateus *não* está dizendo ao começar seu Evangelho com uma genealogia. Mas então o que ele diz?

A essa altura, precisamos nos lembrar da cultura em que ele vivia e escrevia. Vivemos em uma cultura individualista em que as pessoas se recomendam umas às outras com uma lista de diplomas, experiências de trabalho e realizações. Não se agia assim em uma sociedade mais comunitária, orientada para a família. Mateus 1 pode parecer uma genealogia, e é, mas também é um currículo. Naquele tempo, era sua família, sua estirpe e seu clã — as pessoas a quem você estava ligado — que constituíam seu currículo. Assim, a genealogia era um modo de dizer ao mundo: "Este sou eu".

É interessante saber que naquela época as pessoas adulteravam o próprio currículo assim como acontece hoje. Temos a tendência de deixar de fora partes do nosso histórico que talvez não nos deixassem tão bem, e as pessoas faziam o mesmo na antiguidade. Sabemos que Herodes, o grande, expurgou diversos nomes de sua genealogia pública por não querer que ninguém soubesse a ligação existente entre eles. O propósito de um currículo genealógico era impressionar quem o visse com a alta qualidade e a respeitabilidade das raízes que ele descrevia.

Mateus, no entanto, faz o oposto com Jesus. Essa genealogia é assustadoramente diferente de outras da antiguidade. Para início de conversa, ela relaciona cinco mulheres, todas mães de Jesus. Isso não parecerá estranho ao leitor moderno, mas nas sociedades patriarcais da época a mulher quase nunca era nomeada nessas listas, muito menos cinco delas. Seria possível chamá-las de "proscritas pelo gênero" nessas culturas. Contudo, figuram na genealogia de Jesus. Além disso, a maior parte das mulheres do currículo de Jesus eram gentias (Tamara, Raabe, Rute). Eram cananeias e moabitas. Para os judeus antigos, essas nações eram impuras; não tinham permissão para entrar no tabernáculo ou no templo para adorar. Poderíamos chamá-las de "proscritas pela raça", todavia fazem parte da genealogia de Jesus.

Existe outro aspecto surpreendente nessa genealogia. Ao nomear essas mulheres em particular, Mateus recorda deliberadamente a seus leitores alguns dos incidentes mais sórdidos, repugnantes e imorais da Bíblia. Por exemplo, ele diz que Judá foi o pai de Farés e Zará, cuja mãe foi Tamar (v. 3). Relembre o que aconteceu. Tamar enganou o sogro, Judá, de modo a induzi-lo a se deitar com ela (embora a história completa deixe claro que Judá a tratara com injustiça). Foi um ato de incesto, contrário em toda a Bíblia à lei de Deus. Embora Jesus descendesse de Farés e não de Zará, Mateus inclui os dois, além de Judá e Tamar, para se certificar de nos trazer à memória toda a história. Foi dessa família conturbada que o Messias veio.

Lembre-se também de quem foi Raabe (v. 5). Ela era não só cananeia como também prostituta. Talvez a personagem e a história mais interessantes em toda a genealogia, no entanto, estejam no versículo 6. Ali se diz que na linhagem de Jesus está o rei Davi. Você logo pensa: "Ora, eis alguém que todo o mundo quer ter na genealogia — da realeza!". Contudo, Mateus acrescenta, em um dos grandes e irônicos eufemismos da Bíblia, que Davi era pai de Salomão, gerado "daquela que havia sido mulher de Urias". Se você não soubesse nada da história bíblica, acharia isso estranho. Por que simplesmente não relacionar o nome dela? Ela se chamava Bate-Seba, mas Mateus está nos convidando a recordar um trágico e terrível capítulo da história de Israel.

Quando Davi estava foragido, fugindo do rei Saul para salvar a própria pele, um grupo de homens o acompanhou até o deserto, ficou em torno dele e pôs a vida em risco para protegê-lo. Foram chamados de guerreiros de Davi. Arriscaram tudo por ele, sendo que Urias era um deles, um amigo a quem Davi devia a vida (2Sm 23.39). No entanto, anos mais tarde, depois de se tornar rei, ele viu a mulher de Urias, Bate-Seba, e a desejou. Dormiu com ela. Então providenciou para que Urias fosse morto a fim de se casar com ela. Assim o fez, e um dos filhos dos dois foi Salomão, de quem Jesus descendia. Você sabe por que Mateus deixou de fora o nome de Bate-Seba? Não por desrespeito a Bate-Seba — mas por uma crítica a Davi. Foi dessa família conturbada e desse homem tão falho que veio o Messias.

Portanto, temos aqui forasteiros morais — adúlteros, gente envolvida em relacionamentos incestuosos, prostitutas. De fato, somos lembrados de que até os ancestrais de Jesus mais proeminentes e do sexo masculino — Judá e Davi — foram fracassos morais. Temos também forasteiros culturais, de raça e de gênero. A Lei mosaica excluía essas pessoas da presença de Deus e, no entanto, elas são todas publicamente reconhecidas como ancestrais de Jesus.

O que isso significa? Primeiro, mostra que as pessoas excluídas por questões culturais, excluídas pela sociedade respeitável e excluídas até pela Lei de Deus podem ser introduzidas na família de Jesus. Não importa sua estirpe, não importa o que você fez, não importa se você matou alguém. Se você se arrepender e crer nele, a graça de Jesus Cristo é suficiente para cobrir seu pecado e uni-lo a ele. Na antiguidade, havia o conceito de "impureza cerimonial". Se quisesses permanecer santo, ou respeitável, ou bom, você precisava evitar o contato com o profano.

Considerava-se que ser profano era "contagioso", por assim dizer, de modo que você tinha de se manter separado. Mas Jesus subverte isso. Sua santidade e bondade não podem ser contaminadas pelo contato conosco. Em vez disso, sua santidade nos contamina por nosso contato com ele. Achegue-se a ele, independentemente de quem você é e do que fez, não importa o quanto esteja moralmente maculado, e ele pode deixá-lo puro como a neve (Is 1.18).

No entanto, veja o caso do rei Davi. Ele tinha todas as credenciais de poder do mundo — era um homem, não uma mulher; era judeu, não um gentio; era da realeza, não da classe pobre. Contudo, como Mateus nos mostra, ele também só pode participar da família de Jesus pela graça. Seus feitos perversos eram piores do que qualquer coisa praticada pelas mulheres dessa história. No entanto, ali está ele. Não foram incluídas as pessoas boas e deixadas as pessoas más de fora. Todas estão incluídas só pela graça de Jesus Cristo. Só o que Jesus fez por você pode lhe conferir uma posição diante de Deus.

Não há ninguém, então, nem mesmo o ser humano mais maravilhoso, que não necessite da graça de Jesus Cristo. E não há ninguém, nem o pior ser humano, que possa deixar de receber a graça de Jesus Cristo se houver arrependimento e fé.

Em Jesus Cristo, prostituta e rei, homem e mulher, judeu e gentio, uma raça e a outra raça também, os moralmente corretos e os imorais — todos ocupam lugar idêntico. São igualmente pecadores e perdidos, aceitos e amados. Na versão bíblica Almeida Século 21, o capítulo 1 de Mateus está repleto do tradicional verbo "gerar" — "Fulano gerou sicrano que gerou beltrano e assim por diante". Enfadonho? Não. A graça de Deus é de tal modo incisiva que até o "gerou" da Bíblia está impregnado da misericórdia divina.

Deus não se envergonha de nós. Somos todos da sua família. Hebreus 2.11 diz: "... não se envergonha de chamá-los de irmãos".

Há outro aspecto nisso tudo. Todas as culturas incentivam seus integrantes a menosprezar determinados indivíduos, a fim de se autoafirmarem pela própria superioridade. Podem ser pessoas de outra raça ou classe. Talvez você menospreze os esnobes tão bem-educados ou os ignorantes sem educação alguma. Talvez despreze as pessoas cuja visão política você acredita estar destruindo o país. Em todos esses exemplos, ensinaram-no a ver algumas pessoas como impuras, inaceitáveis, profanas — ao mesmo tempo em que você é ótimo. Os valores de Jesus Cristo são radicalmente diferentes. O mundo valoriza estirpe, dinheiro, raça e classe. Jesus vira tudo isso de cabeça para baixo. Esse tipo de coisa, tão importante fora da igreja de Cristo, não deve ser levada para dentro dela. Em certo sentido, ele declara: "Na minha família, essas coisas tão valorizadas no mundo lá fora não devem ter tanta importância".

DEUS PODE TARDAR, MAS CUMPRE SUA PALAVRA

Mais um aprendizado com a genealogia: ela nos lembra que a promessa de um Messias levou gerações para se cumprir. Jesus era "filho de Abraão". Deus disse para Abraão que todos os povos da Terra seriam abençoados por intermédio dos seus descendentes (Gn 12.3). Na verdade, antes ainda, em Gênesis 3.15, o próprio Deus profetizou que surgiria alguém que "ferirá a cabeça" [de Satanás], derrotando o mal.

Mas séculos, milênios se passaram antes que o anjo aparecesse para Maria, lhe falasse do filho que ela teria, e ela então cantasse: "... [lembrou-se] de sua misericórdia para com Abraão [...] como prometera aos nossos pais" (Lc 1.54,55). Muito tempo se passou até a promessa se tornar realidade! Na verdade, nos quatrocentos anos anteriores ao nascimento de Cristo, nenhum profeta foi enviado ao povo, que dirá um messias. Parecia que Deus os esquecera. Ninguém estava para vir, era a impressão que se tinha. Mas então ele chegou.

Você não pode julgar Deus de acordo com o calendário humano. Ele pode parecer lento, mas nunca se esquece de suas promessas. Pode parecer trabalhar muito devagar ou até ter se esquecido de suas promessas, mas, quando elas se tornam realidade (e elas se tornarão realidade), sempre extrapolam as fronteiras da sua imaginação.

Na verdade, esse é um dos principais temas da história da natividade, da Bíblia inteira. Veja a história de José no Antigo Testamento. Durante anos seria de se pensar que Deus ignorava as orações de José, permitindo que ele sofresse um desastre atrás do outro. Mas, no fim, ficou claro que cada um desses incidentes tinha de acontecer a fim de que todos fossem salvos. José foi até capaz de dizer para os irmãos que o venderam como escravo: "Certamente planejastes o mal contra mim. Porém Deus o transformou em bem..." (Gn 50.20). Veja quando Jesus, chamado para curar uma menina enferma, às portas da morte, parou para lidar com outra pessoa e permitiu que a filha de Jairo morresse. Sua noção de tempo parecia completamente equivocada — até ficar claro que não era (Mc 5.21-43).

A graça de Deus quase nunca opera segundo nosso cronograma, dentro de uma programação que consideramos razoável. Ele não segue as nossas pautas ou programações. Ao se dirigir a Jairo, o pai desesperado cuja filha acabara de morrer, Jesus orientou: "... crê somente" (Mc 5.36). Era o mesmo que dizer: "Se quiser me impor seu cronograma, você jamais se sentirá amado por mim, e a culpa será sua, porque eu o amo. Cumprirei minhas promessas".

Deus parece se esquecer das suas promessas, mas ele corresponde às expectativas por formas que não conseguimos nem imaginar antes que aconteçam. Pense na vinda do Messias prometido. O Rei divino nasceu não em um castelo, mas em um cocho, em uma manjedoura. Contradisse todas as expectativas, mas foi só pelo fato de vir em fraqueza e morrer na cruz que pôde nos salvar. Deus cumpriu sua promessa.

Talvez você diga: "Bem, pode ser que Deus cumpra o que me prometeu, mas eu não guardei o que lhe prometi. Aprontei a maior confusão com minha vida. Não há como consertá-la". Mas veja a genealogia. O versículo 2 diz que Jacó gerou Judá, ancestral do Messias. Sabe por que Judá era filho de Jacó? Jacó mentiu e enganou o pai, Isaque, de modo a ficar com o direito de primogenitura do irmão, o qual deveria ter sido atribuído a Esaú. Devido a essa farsa, Jacó dividiu a família, colocou Esaú contra si e teve de fugir da terra em que vivia, tornando-se um foragido. Perdeu a família. Experimentou consequências terríveis por seu pecado. Contudo, só por tudo isso conheceu Leia, que se tornou ancestral do Messias.

Veja o equilíbrio em toda essa história. Jacó errou e sofreu por isso. No entanto, Deus é maior do que o nosso pecado. Ele usou toda essa sordidez, ignorância e pecado para cumprir sua promessa. Com Deus não há plano B. Natal significa que Deus está implementando seus propósitos. Ele cumprirá suas promessas. Como diz o hino:

> Pois suas misericórdias, sim, perduram,
> sempre fiel, sempre seguras.[3]

Natal, portanto, significa que, "embora os moinhos de Deus girem devagar, [...] o resultado é um pó extremamente fino".[4] Deus pode parecer ter-se esquecido,

---

[3] John Milton, "Let us with a gladsome mind" (1623), disponível em: http://cyberhymnal.org/htm/l/e/letuglad.htm, acesso em: 23 mar. 2017.

[4] A expressão tem uma longa história e muitas versões. Escolhi a minha predileta. Alguns a atribuem a Plutarco, mas sua versão mais conhecida se encontra em "Retribution", de Longfellow, tradução de um poema alemão encontrado in: Henry Wadsworth Lonfgellow, *The poetical works of H. W. Longfellow* (London/Edinburgh: T. Nelson and Sons, 1852), p. 336. O texto: "Embora os moinhos de Deus girem devagar, ainda assim o resultado é um pó extremamente fino. Com paciência ele espera, com precisão mói tudo". A ideia por trás do verso é que Deus pode dar a impressão de não ter pressa, mas, no fim, leva a cabo seus propósitos com exatidão.

contudo neste exato momento ele está no processo de organizar tudo que cumprirá suas grandes promessas. Leia a Bíblia e veja as promessas para aqueles que creram. Ele é capaz de nos dar mais do que ousamos pedir ou pensar (Ef 3.20).

O EVANGELHO É O DESCANSO SUPREMO

Por fim, aprendemos com as genealogias que Jesus é o descanso supremo. No fim da genealogia, Mateus dá grande atenção aos números de gerações. Em 1.17 ele diz que havia quatorze gerações de Abraão até Davi, quatorze de Davi até o exílio na Babilônia e quatorze do exílio até Cristo. Portanto, houve seis conjuntos de sete gerações, o que faz de Jesus o início do *sétimo conjunto de sete*.

O que isso quer dizer? Na Bíblia, o número sete é muito importante porque, como nos relata Gênesis, Deus descansou da sua obra criada no sétimo dia. O dia do sábado — um em sete — é o dia do descanso. Todavia, o simbolismo do sete no sábado vai além. Na Lei mosaica, a cada sete anos o agricultor deveria deixar a terra sem cultivo para lhe dar uma oportunidade de recuperar os nutrientes, de modo que o sétimo ano representava descanso. Por fim, Levítico

25 nos diz que o último ano do sétimo período de sete anos, o quadragésimo nono ano, devia ser de jubileu. Nesse ano, todos os escravos tinham de ser libertados e todas as dívidas, perdoadas; toda a terra e todo o povo tinham de descansar da exaustão e de seus fardos. O sétimo sete, o sábado dos sábados, representava um antegozo do descanso final que todos conheceremos quando Deus renovar a Terra (Rm 8.18-23, Hb 4.1-11).

Mateus está nos dizendo que esse descanso só nos virá por meio de Jesus Cristo. Você entende que Jesus Cristo não nasceu por um "Era uma vez", mas irrompeu de verdade no tempo e no espaço, que efetivou sua salvação a fim de que a prostituta e o rei se sentassem lado a lado à sua mesa? Se você crê nisso, desde já pode começar a provar desse descanso. Como a fé faz isso? Uma das maneiras é esta: em Jesus você para de ter de provar quem você é, porque sabe que na verdade não importa no final se você é um fracassado ou um rei. Tudo de que precisa é da graça de Deus, e você pode tê-la, apesar dos seus fracassos. Depois de conhecê-lo, quer viver sua vida para agradá-lo; no entanto, não tem de purificá-la a fim de conhecê-lo como Salvador, e isso traz descanso interior.

Também precisamos descansar dos problemas e perversidades deste mundo. Sentimos como se tivéssemos de controlar a história, de fazer tudo dar certo, mas isso é não apenas exaustivo como também impossível. O Natal nos ensina que, apesar das aparências contrárias, nosso bom Deus está no controle da história. E um dia ele endireitará tudo. Parte do nosso descanso interior vem quando o Espírito nos lembra da salvação final e do descanso supremo. Temos, então, uma esperança poderosa no futuro que não se resume a mero otimismo. É uma certeza de que, no final, tudo dará certo. Isso nos dá paz e força ao lidarmos com as provações e tragédias do presente. Um dia, no entanto, a glória de Deus cobrirá o mundo como as águas cobrem o fundo do mar. E então Jesus, o Rei do jubileu, nos dará o descanso final e perfeito de amor e alegria.

Natal não é "Era uma vez uma história que aconteceu para nos mostrar como devemos levar uma vida melhor". Nada disso! Ele irrompeu no mundo para nos salvar. *Cristo, o Salvador, nasceu*!

3

✶

OS PAIS DE JESUS

O nascimento de Jesus Cristo foi assim: Maria, sua mãe, estava comprometida a casar-se com José. Mas, antes de se unirem, ela achou-se grávida pelo Espírito Santo. José, seu marido, era um homem justo e não queria expô-la à desgraça pública. Por isso, decidiu separar-se dela secretamente. Tendo José isso em mente, um anjo do Senhor apareceu-lhe em sonho, dizendo: José, filho de Davi, não temas receber Maria, tua mulher, pois o que nela foi gerado é do Espírito Santo. Ela dará à luz um filho, a quem darás o nome de Jesus; porque ele salvará seu povo dos seus pecados. Tudo isso aconteceu para que se cumprisse o que o Senhor havia declarado pelo profeta: A virgem engravidará e dará à luz um filho, a quem chamarão Emanuel, que significa: Deus conosco (Mt 1.18-23).

A maioria das pessoas, quando pensa em anjos no Natal, lembra-se de que esses mensageiros apareceram para os pastores e para Maria. Elas costumam se esquecer de que um arauto angelical também apareceu para José, que teve suas próprias revelações.

Mateus 1.18-23 nos apresenta esse relato inestimável, por meio do qual descobrimos que Jesus é Deus, que ele é humano e está conosco.

JESUS É DEUS

Mateus enfatiza de várias formas a mensagem central do Natal de que Jesus não é apenas um grande mestre ou um ser angelical, mas Deus em pessoa. No versículo 20 o anjo diz a José que a vida humana em desenvolvimento dentro de Maria provém não de um ser humano qualquer, mas do Pai celestial. Assim, José fica sabendo que será pai de Jesus apenas em sentido secundário. Maria está grávida do Espírito Santo. Deus é o verdadeiro pai.[1]

Contudo, a declaração mais direta da identidade de Jesus aparece no versículo 23, em que Mateus cita Isaías 7.14: "... A virgem ficará grávida e dará à luz um filho, e ele se chamará Emanuel", que significa "Deus conosco". Os líderes religiosos e os estudiosos judeus conheciam essa profecia há séculos, mas não achavam que ela devia ser entendida em sentido

---

[1] O versículo ensina a doutrina do nascimento virginal. O melhor tratamento das questões relacionadas com essa crença cristã histórica continua a ser o de J. Gresham Machen, *The virgin birth* (New York: Harper, 1930).

literal. Acreditavam que previsse a vinda de um grande líder por cujo trabalho, falando em sentido figurado, Deus estaria presente com seu povo.

Mas Mateus afirma que a promessa é maior do que já se imaginara. Ela se tornou realidade não em sentido figurado, mas literal. Jesus Cristo é "Deus conosco" porque a vida humana que crescia no ventre de Maria era um milagre realizado pelo próprio Deus. A criança era literalmente Deus.

Mateus era judeu e certamente estava bastante familiarizado com as Escrituras hebraicas, o que torna essa declaração ainda mais surpreendente. A visão peculiar que os judeus tinham de Deus fazia deles o povo sobre a terra menos aberto à ideia de que um ser humano pudesse ser Deus. As religiões orientais acreditavam que Deus era uma força impessoal permeando tudo, portanto não seria desproposital que dissessem que alguns seres humanos são grandiosas manifestações particularmente do divino. A religião ocidental na época acreditava em divindades pessoais múltiplas não onipotentes. E às vezes elas se disfarçavam como seres humanos a fim de cumprir seus próprios propósitos. Assim, para os gregos e os romanos, não havia razão alguma para que determinado personagem não pudesse ser Hermes ou Zeus, vindo até nós incógnito.

Os judeus, no entanto, criam em um Deus *tanto* pessoal *quanto* infinito, não um ser dentro do universo, mas, sim, o fundamento da existência desse Universo e infinitamente transcendente acima dele. Tudo na cosmovisão hebraica militava contra a ideia de que um ser humano pudesse ser Deus. Os judeus nem sequer pronunciavam ou soletravam o nome "Yahweh". Todavia, Jesus Cristo — por sua vida, afirmações e ressurreição — convenceu seus seguidores judeus mais próximos de que ele não era apenas um profeta lhes explicando como encontrar Deus, mas o próprio Deus que viera encontrá-los.

Mateus não é o único autor bíblico a ensinar isso. João, o apóstolo, diz que Jesus é "o Verbo", que nunca foi criado, que existia com o Pai desde o princípio, por quem tudo foi feito e que o Verbo era Deus (Jo 1.1-3). Paulo, judeu e fariseu, diz que *toda* a plenitude da divindade habita em Jesus corporalmente (Cl 2.9) — não apenas um terço, ou metade, ou parte dela, mas toda a substância divina. O apóstolo Pedro, outro judeu, escreve: "... por meio da justiça do nosso Deus e Salvador Jesus Cristo" (2Pe 1.1). Jesus é "nosso Deus".

A opinião desses autores não significaria muito, no entanto, se Jesus não tivesse nenhuma consciência de sua identidade divina. Mas ele tinha. Ao longo de todos os Evangelhos, ele passa o tempo todo perdoando pecados, algo que só Deus pode fazer. Também afirma, em diversos lugares, que voltará "para julgar a terra", e só Deus pode fazer isso. Declara haver familiaridade mútua, de igual para igual, entre ele e Deus, o Pai (Mt 11.27,28). Em determinado momento, chega a dizer: "... antes que Abraão existisse, Eu Sou" (Jo 8.58)! Toma para si o nome divino (cf. Êx 3.13,14). Diversas vezes e de várias maneiras Jesus Cristo, um judeu, disse: "Eu sou Deus", e milhares creram nele e passaram a adorá-lo (At 2.41).

Essa é a afirmação — de que ele é Deus. Muitos conhecem essa doutrina e a propagam sem ser sinceros nem pensar em suas implicações. Se Jesus é mesmo Deus, o que isso significa para nós em termos práticos?

UM DIVISOR DE ÁGUAS INTELECTUAL

Há quem defenda a ideia de que o milagre supremo do cristianismo não é a ressurreição de Cristo dentre os mortos, e sim a encarnação. O Criador do universo, onipotente e existindo desde sempre, assumiu uma natureza humana sem a perda de sua divindade, de modo que Jesus, o filho de José de Nazaré, era tanto plenamente divino quanto plenamente humano. De tudo que o cristianismo proclama, isso é o mais impressionante. J. I. Packer aborda a questão de maneira muito direta:

> Deus se tornou homem; o Filho divino se tornou judeu; o Todo-Poderoso surgiu na terra como um bebê humano indefeso, incapaz de fazer mais do que permanecer deitado, olhar o teto, se remexer e fazer barulhos, tendo de ser alimentado, trocado e ensinado a falar como qualquer outra criança. [...] A primeira infância do Filho de Deus foi uma realidade. Quanto mais você pensa nisso, mais impressionante fica. Nada na ficção é tão fantástico quanto essa verdade da encarnação.[2]

Packer prossegue defendendo uma ideia curiosa. Muita gente diz: "Não acredito em milagres". Estas pessoas não conseguem crer que Jesus andou sobre as águas ou ressuscitou mortos. Para eles a expiação — a morte de um homem apagando os pecados de bilhões de pessoas — também parece algo impossível. Contudo, argumenta Packer: "É da crença equivocada, ou pelo menos inadequada, acerca da Encarnação que as

---

[2] J. I. Packer, *Knowing God* (Downers Grove: InterVarsity, 1973, p. 53 [edição em português: *O conhecimento de Deus*, tradução de Paulo César Nunes dos Santos (São Paulo: Cultura Cristã, 2014)].

dificuldades com outros pontos da narrativa do evangelho costumam brotar. Mas, a partir do momento que a encarnação é compreendida como uma realidade, essas outras dificuldades se dissolvem".[3] Se existe um Deus e se ele se tornou humano, por que você consideraria incrível que ele operasse milagres, pagasse o preço pelos pecados do mundo ou ressuscitasse dos mortos?

O caminho de fé de cada um é diferente, como veremos mais adiante neste livro. Mas muita gente que conheço descobriu, a partir do momento em que lutou com a ideia da encarnação e a compreendeu, que ficou muito mais fácil aceitar também os demais ensinamentos do Novo Testamento.

UMA CRISE PESSOAL

A afirmação de que Jesus é Deus não só propõe um desafio intelectual, mas também causa uma crise pessoal. Crise é "o estágio em uma sequência de eventos em que o curso de todos os acontecimentos futuros, para melhor ou para pior, é determinado".[4] Crise é uma bifurcação na estrada, e a declaração de que "Jesus Cristo é Deus" representa exatamente isso.

---

[3] Ibidem.
[4] Veja http://www.dictionary.com/browse/crisis, acesso em: 24 mar. 2017.

Sempre que Jesus age nos Evangelhos, você o vê pondo as pessoas em movimento. Ele é como uma bola de bilhar gigantesca. Onde quer que vá, ele rompe com antigos padrões, leva as pessoas a seguirem em novas direções. Como observamos brevemente no capítulo 1, Jesus suscita reações extremas. Alguns ficam tão furiosos com ele que tentam jogá-lo de um penhasco e matá-lo. Outros se sentem tão apavorados que gritam: "Vai. [...] Afasta-te de mim".[5] Outros se prostram diante dele e o adoram. Por que os extremos? Devido às alegações acerca de quem ele é. Se ele de fato for quem diz ser, então o centro de sua vida toda está nele. E, se não for, então ele é alguém a se odiar ou de quem fugir. Mas nenhuma outra reação faz o menor sentido. Ou ele é Deus ou não é — portanto, ou é absolutamente louco ou infinitamente poderoso. O mundo moderno, no entanto, está cheio de pessoas que dizem acreditar em Jesus e compreender quem ele é sem que isso lhes revolucione a vida. Não passaram por nenhuma crise ou mudança duradoura. O único modo de explicar isso é, contrariando o que afirmam, que elas não captaram de verdade o sentido de ele ser "*Deus* conosco".

---

[5] Cf. Lc 5.8.

UMA GRANDE ESPERANÇA

A afirmação de que Jesus também é Deus nos dá a maior esperança possível. Isso significa que nosso mundo não é tudo que existe, que há vida e amor após a morte e que o mal e o sofrimento um dia acabarão. E quer dizer não só esperança para o mundo, apesar de todos os seus problemas intermináveis, mas esperança para você e eu, apesar de todos os nossos fracassos intermináveis. Um Deus que fosse *apenas* santo não desceria até nós em Jesus Cristo. Exigiria apenas que nos controlássemos, que fôssemos moralmente corretos e santos o suficiente para merecer um relacionamento com ele. A divindade que fosse um "Deus de amor que aceita tudo" tampouco necessitaria vir à terra. Esse Deus da imaginação moderna não só ignoraria o pecado e o mal como nos receberia. Nem o Deus do moralismo nem o Deus do relativismo teriam se dado ao trabalho do Natal.

O Deus bíblico, contudo, é infinito em santidade. Por isso nosso pecado não podia ser descartado como algo sem importância. Era necessário tratar o problema. Ele também é infinitamente amoroso. Sabe que jamais conseguiríamos subir até ele, por isso desceu até nós. Deus tinha de vir ele mesmo e fazer o que nós não podíamos. Ele não envia ninguém; não manda o relatório de uma comissão ou de um pregador para lhe dizer como se salvar. Ele vem pessoalmente nos buscar.

Natal, portanto, significa que para você e para mim há toda a esperança do mundo.

JESUS É HUMANO

Jesus também é um de *nós* — ele é humano. A doutrina do Natal, da encarnação, define que Jesus era verdadeira e plenamente Deus *e* verdadeira e plenamente humano. Você tem ideia da singularidade disso entre todas as filosofias e religiões do mundo? Pesquise a história da filosofia. Estão sempre questionando: o que é mais fundamental, o absoluto ou o particular? Um ou muitos? O ideal e eterno ou o real e concreto? Quem está certo, Platão ou Aristóteles? Mas a doutrina da encarnação irrompe em meio a essas categorias e escolhas binárias. "Emanuel" significa que o ideal se tornou real, o absoluto se tornou um particular e o invisível se tornou visível! A encarnação é *o* evento histórico a dividir o universo, mudar os rumos da história, transformar a vida, destruir paradigmas.

Contudo, a partir de uma posição tão elevada dessa verdade, temos de perguntar: que diferença faz para o modo como de fato vivemos que Deus tenha se tornado plenamente humano?

SIGNIFICA UMA VIDA DE SERVIÇO NÃO PATERNALISTA

Historicamente, os cristãos entendem que passagens como Filipenses 2.5-11 ensinam que, quando o Filho de Deus se tornou humano, não descartou sua divindade. Ainda era Deus, mas se esvaziou de sua *glória* — de suas prerrogativas divinas. Passou a ser vulnerável e comum; perdeu poder e beleza. "... Ele não tinha qualquer beleza ou majestade que nos atraísse [...] para que o desejássemos" (Is 53.2, NVI). Davi e Moisés falam da beleza e da glória de Deus. No entanto, Isaías indica que o Messias encarnado não tinha nem mesmo atratividade ou beleza humana.

O que isso significa para os cristãos, a quem Paulo convoca para imitar a encarnação em suas próprias vidas (Fp 2.5)? Significa que os cristãos jamais deveriam adotar uma atitude sonhadora de *glamour*. Nunca deveriam ser esnobes ou ter como objetivo atingir os mais altos escalões de beleza e elegância. J. I. Packer explica desta forma:

> Para o Filho de Deus, esvaziar-se e tornar-se pobre significou deixar de lado a glória; uma restrição voluntária de poder; a aceitação das adversidades, do isolamento, dos maus-tratos, da maldade e da

incompreensão; por fim, uma morte que implicou em agonia tão grande — espiritual mais do que física — que sua mente quase não resistiu sob essa perspectiva. Significou o máximo de amor por homens detestáveis. [...]

Vivemos hoje a vergonha e a desgraça de ver que muitos cristãos — na verdade, uma grande quantidade dos cristãos mais salutares e ortodoxos — andam por este mundo com o espírito do sacerdote e do levita da parábola do nosso Senhor, percebendo as necessidades humanas por todos os lados, mas (depois de um desejo piedoso ou talvez uma oração para que Deus possa satisfazer-lhes as necessidades) desviando os olhos e passando ao largo. Não é esse o espírito cristão. Mas é o espírito de alguns cristãos — ah, e são muitos — cuja ambição na vida parece limitada a edificar um bom lar cristão de classe média, fazer alguns bons amigos cristãos de classe média, criar os filhos de boas maneiras cristãs de classe média e a deixar o marginalizado pela comunidade, cristão ou não, se virar da melhor maneira que puder.

O espírito do Natal não resplandece no cristão esnobe. Pois o espírito do Natal é o espírito daqueles que, como seu Mestre, vivem a vida inteira pelo princípio de se fazerem pobres — gastando-se e desgastando-se — para enriquecer os companheiros humanos, doando seu tempo, enfrentando dificuldades, cuidando e se ocupando em fazer o bem aos outros — e não apenas dos amigos — de qualquer maneira que pareça lhes necessária.[6]

O fato de Deus se tornar humano e se esvaziar de sua glória significa que você não deveria querer andar só com pessoas com poder e esplendor, bem relacionadas e aptas a abrir portas em seu favor. Você precisa estar disposto a ir até as pessoas sem poder, sem beleza, sem dinheiro. Esse é o espírito do Natal, pois Deus se tornou um de nós.

SIGNIFICA CONFORTO INFINITO NO SOFRIMENTO

Mencionamos apenas este tema quando analisamos a expressão "Maravilhoso Conselheiro" de Isaías. O Novo Testamento é ainda mais explícito. Hebreus diz que Jesus foi feito como nós, "plenamente humano em todos os sentidos" (Hb 2.17, NIV). Isso significa que, "porque ele sofreu quando tentado e testado, é capaz de ajudar aqueles que estão sendo tentados e testados" (Hb 2.18, TA).

Quando está feliz e tudo vai bem, você se sente parte da raça humana. Mas, quando algo ruim acontece

---

[6]Packer, *Knowing God*, p. 63-4.

e o verdadeiro sofrimento o alcança, a sensação é de grande solidão. As pessoas a sua volta podem expressar simpatia, mas isso não ajuda. Então você encontra alguém que passou *exatamente* pela mesma situação. Alguém que sabe como é. Você abre o coração para essa pessoa. Ouve as opiniões que ela lhe dá por ter passado pelo mesmo. Quando ela o conforta, você se sente confortado de verdade.

Alguns anos atrás, recebi o diagnóstico de câncer de tiroide. Fiz o tratamento e o câncer não voltou. No entanto, descobri pela primeira vez o que é viver sob a sombra e a incerteza de uma enfermidade que ameaça a vida. Tinha 51 anos quando isso aconteceu. Era pastor há muitos anos e segurara muitas mãos ao lado de leitos de hospitais. Achava que compreendia o que era passar por uma doença crônica. Mas, ao travar minha própria luta contra o câncer, constatei que sabia bem menos do que imaginava. Também descobri que as pessoas agora se mostravam mais ávidas por falarem de seu sofrimento comigo. Minha experiência com o medo e a dor me deu um novo poder de confortar.

A encarnação significa que Deus sofreu e que Jesus triunfou pelo sofrimento. Isso nos mostra, como está escrito em Hebreus 2.17,18, que Jesus agora tem o poder *infinito* de confortar. O Natal lhe mostra um Deus diferente do deus de qualquer outra fé. Você já foi traído? Já se sentiu solitário? Já passou necessidade? Já enfrentou a morte? Ele também! Alguns protestam: "Você não entende. Orei a Deus fazendo certos pedidos, e ele ignorou minha oração". No jardim do Getsêmani Jesus clamou: "... Meu Pai [...] afasta de mim este cálice..." (Mt 26.39) e foi rejeitado. Ele conhece a dor da oração sem resposta. Alguns desabafam: "Sinto que Deus me abandonou". O que você acha que Jesus estava dizendo na cruz ao perguntar: "... Deus meu, Deus meu, por que me desamparaste?" (Mt 27.46)?

O cristianismo afirma que Deus esteve em todos os lugares pelos quais você passou; ele está na escuridão em que você se encontra agora, e mais. Por isso, você pode confiar nele; pode depender dele, pois ele sabe e tem o poder de confortar, fortalecer e conduzi-lo a um lugar seguro.

JESUS ESTÁ CONOSCO

Há três ideias em "Emanuel": ele é Deus, é humano e está conosco. Seria espantoso se o Filho de Deus se tornasse humano, vivesse entre nós por algum tempo e então partisse, deixando um conjunto de ensinamentos. Acontece que seus desígnios eram infinitamente maiores do que isso. O Evangelho de Marcos explica que Jesus Cristo escolheu doze apóstolos e os equipou "para que estivessem *com* ele" (3.14, grifo do autor). O que "com ele" significa? Pelo texto e o restante dos Evangelhos, entendemos que "com ele" significa estar na presença de Jesus, conversar com ele, aprender dele, ter seu consolo momento a momento. O propósito da encarnação é termos um relacionamento com ele. Em Jesus, o Deus inefável e inacessível torna-se um ser humano que se pode conhecer e amar. E, pela fé, conseguimos conhecer esse amor.

Isso não nos atordoa tanto quanto deveria. Veja o Antigo Testamento. Era absolutamente assustador toda vez que alguém chegava perto de Deus. Ele aparece para Moisés em uma sarça ardente, para Israel em uma coluna de fumaça, para Jó como um furacão ou um tornado. Quando Moisés pediu para ver sua face, ouviu que isso o mataria; quando muito, só poderia se aproximar de sua presença, das suas "costas" (Êx 33.18-23). Quando Moisés desceu do monte, seu rosto brilhava tanto que as pessoas não podiam olhar para ele (Êx 34.29,30) — tão grande, tão elevado e inacessível é Deus.

Você consegue imaginar, então, se Moisés estivesse aqui hoje e ouvisse a mensagem do Natal, mais especificamente que "o Verbo se fez carne e habitou entre nós, pleno de graça e de verdade; e vimos a sua glória, como a glória do unigênito do Pai" (Jo 1.14)? Ele exclamaria: "Vocês percebem o que isso significa? É justamente o que me foi negado! Significa que por meio de Jesus Cristo vocês conseguem encontrar Deus. Podem conhecê-lo pessoalmente e sem pavor. Ele pode entrar na vida de vocês. Entendem o que está acontecendo? Onde está sua alegria? Onde está sua perplexidade? Deveria ser essa a força motora da vida de vocês!".

Deus se revelou em Jesus Cristo não como uma coluna de fogo, nem como um tornado, mas como um bebê. Nada se compara a um bebê. As crianças pequenas já têm interesses próprios e conseguem fugir de você. Mas os bebezinhos podem ser erguidos do berço, abraçados, beijados e estão abertos a isso, agarram-se a você. Por que agora Deus viria na forma de um bebê, e não como tempestade ou redemoinho? Porque dessa vez ele não veio trazer juízo, mas recebê-lo, de modo a pagar o preço por nossos pecados, a remover a barreira entre ele e a humanidade, a fim de podermos estar juntos. Jesus é Deus *conosco*.

A encarnação não ocorreu apenas para nos fazer saber que Deus existe. Ela aconteceu para trazê-lo para perto, de modo que ele possa estar conosco e nós com ele. Milhões de pessoas, todo Natal, cantam: "Jesus, nosso Emanuel". Será que estão mesmo com ele? Será que o conhecem ou apenas sabem da sua existência? Jesus moveu literalmente céus e terra para se aproximar de nós — o que deveríamos estar fazendo agora para estar com ele de verdade?

Quais os elementos de um relacionamento genuíno, pessoal com Jesus? Ele requer, como qualquer relacionamento íntimo, que vocês se comuniquem com regularidade, sinceridade e amor. Isso não significa apenas "fazer suas orações", mas ter uma vida de oração que leve a uma real comunhão com Deus, a um senso da sua presença no coração e na vida. Medite nos salmos 27, 63, 84 e 131 para conhecer esse tipo de oração. Por outro lado, manter um relacionamento íntimo significa que ele se comunica com você. Isso vem de uma profunda familiaridade com a Bíblia, da capacidade de lê-la, compreendê-la e meditar nela. Considere os salmos 1 e 119 para ver como fazer a Bíblia se tornar uma força vital em sua vida.[7] Esses são apenas os "meios de graça" mais individuais que lhe permitem aproximar-se de Deus. Há outros, mais comunitários, como a adoração e o louvor, o batismo e a ceia do Senhor, e outros recursos disponíveis na igreja reunida, o povo de Deus (Hb 10.22-25).

---

[7] Veja Timothy Keller, *The songs of Jesus* (New York: Viking, 2015), p. 1 (sobre o salmo 1) e p. 304-25 (sobre o salmo 119) [edição em português: *Os cânticos de Jesus: um ano de devoções diárias nos Salmos* (São Paulo, Vida Nova, 2017)].

Na passagem de Mateus 1.18-23, há mais uma característica necessária a um relacionamento pessoal com Jesus, uma característica que pelo menos os cristãos da sociedade ocidental têm maior probabilidade de deixar passar despercebida. O relacionamento íntimo com Jesus sempre requer coragem.

Considere o que o anúncio do anjo significou para José e Maria. Ela está grávida e José sabe que não é o pai. Ele resolve romper o noivado, mas o anjo aparece e diz: "Case-se com ela. Maria está grávida por intermédio do Espírito Santo". Todavia, se José se casar com ela, todo o mundo daquela sociedade baseada em vergonha e honra saberá que a criança não nasceu nove ou dez meses depois de eles se casarem; todos saberão que Maria já estava grávida. Isso significaria que ou eles tinham tido relações sexuais antes do casamento ou ela lhe fora infiel, e, por conseguinte, ambos seriam envergonhados, socialmente excluídos e rejeitados. Seriam cidadãos de segunda classe para sempre. Portanto, a mensagem é: "Se Jesus Cristo entrar em sua vida, pode dar um beijo de despedida na sua reputação maravilhosa". E isso é só Mateus 1. Quando chegarmos a Mateus 2, José verá que ter Jesus em sua vida significa não só prejuízo para sua posição social como também perigo para sua vida.

Qual a aplicação disso para nós? Se quiser Jesus em sua vida, você precisará de coragem. São pelo menos três os tipos de coragem exigidos de todos os crentes.

CORAGEM PARA SUPORTAR O DESPREZO DO MUNDO

Primeiro, você precisará de coragem para suportar o desdém do mundo. Todos os amigos de José dirão: "Ou você a engravidou antes de se casarem ou ela lhe foi infiel". Já imaginou José tentando lhes contar a verdade? "Ah, eu posso explicar. Maria engravidou pelo Espírito Santo". Imagine o espanto. A verdade não é algo que os amigos de José compreenderão e, portanto, sempre pensarão que ou ele enlouqueceu ou é um ingênuo. Praticamente todos os cristãos experimentarão o mesmo em alguns de seus relacionamentos.

Em muitos países não ocidentais, professar a fé cristã pode resultar em risco de vida. Ainda há pouca perseguição física de cristãos nos países ocidentais, mas existe cada vez mais ridicularização e menosprezo contra aqueles que se apegam às crenças cristãs históricas. É preciso coragem para enfrentar tudo isso. Como aconteceu com José, haverá muita gente que simplesmente não entende, e em muitos casos sua reputação sofrerá.

CORAGEM PARA ABRIR MÃO DO
SEU DIREITO DE LIVRE ESCOLHA

O anjo anuncia para José como ele deve chamar o menino. Naquela cultura patriarcal, era direito absoluto do pai dar nome ao filho. Ele era detentor de plenos direitos sobre seus filhos, e nomeá-los era sinal de controle sobre a família. O anjo, contudo, tira dele esse direito. Recusando-se a deixá-lo dar nome para Jesus, o anjo diz: "Se Jesus faz parte da sua vida, você não manda nele. Essa criança prestes a nascer é que manda em *você*".

As pessoas me falam o tempo todo: "Tenho interesse em ser cristão, mas não se isso implicar na obrigação de fazer isso ou aquilo". Sabe o que elas estão fazendo? Estão tentando dar um nome a Jesus. É como se dissessem: "Quero Jesus Cristo, mas segundo as minhas condições". No entanto, o anjo afirma que, se ele entra em sua vida, você não o controla; ele controla você.

Ao se entregar a Cristo, você tem de abandonar suas condições. O que isso significa? Que você tem de abrir mão do direito de falar: "Eu lhe obedecerei *se*... Farei isso *se*...". Declarar: "Eu lhe obedecerei *se*" é não ser obediente em absoluto. Você está dizendo: "O senhor é meu conselheiro, não meu Senhor. Ficarei feliz em acatar suas recomendações. Posso até pôr em prática algumas delas". Não. Se você deseja ter Jesus *com você*, precisa abrir mão do direito à livre escolha. Negar a si mesmo é um ato de rebeldia contra nossa cultura ultramoderna de autoafirmação. Mas é para isso que somos chamados. Nada menos que isso.

A fim de se tornar cristão, você precisará ter coragem de fazer algo que nossa cultura considera a maior maluquice. Terá de se comprometer a negar a si mesmo. "... Se alguém quiser vir após mim, negue a si mesmo..." (Lc 9.23). Repetidas vezes nos dizem em nossa sociedade que uma lei sagrada é: "Seja fiel a seu próprio eu", que devemos sempre trabalhar para realizar nossos sonhos mais profundos e satisfazer nossos desejos mais profundos. Existem enormes problemas com essa filosofia de vida. Para começar, nossos sentimentos mudam com o tempo e costumam estar sempre em conflito uns com os outros.

De qualquer forma, essa é a visão que predomina, por isso o chamado dos cristãos impressiona. As pessoas da época moderna necessitam de coragem para abrir mão do seu direito à livre escolha, mas é essa a exigência. Se quiser Jesus no centro da sua vida, você tem de obedecer a ele incondicionalmente. Falaremos mais sobre isso no capítulo 5.

Sei que o assunto assusta, mas também representa uma aventura: a aventura do senhorio de Jesus. Como a maioria dos jovens adultos, lutei para me conhecer, para descobrir "quem sou eu" e, quando levei o cristianismo em consideração, lembro-me de ter pensado: "Não quero me tornar cristão se não puder ser eu mesmo". Hoje, no entanto, olhando quarenta anos para trás, constato que não tinha como saber, naquele estágio da vida, o que havia de fato em meu coração. Só se lhe devotarmos nossa fidelidade suprema obteremos o que mais necessitamos dele. Necessitamos de que ele *nos* dê um nome. Ele nos fez. Sabe quem somos, para o que fomos feitos, o que combinará melhor conosco. Isso significa que não temos como saber quem somos até que Cristo entre em nossa vida e, pela obediência a ele, descubramos nossa verdadeira identidade.

Portanto, tenha coragem de deixar o controle da sua própria vida, de se entregar a ele e de começar uma vida de aventura.

CORAGEM DE RECONHECER QUE VOCÊ É PECADOR

Por fim — e isso é fundamental —, você não pode conhecer Jesus pessoalmente, a menos que tenha coragem de admitir que você é pecador. A que se resume toda a missão de Jesus? Está escrito bem aqui: "... ele salvará seu povo dos seus pecados" (Mt 1.21). Você protesta: "Espere um pouco, pensei que ele tivesse vindo para nos dar poder e nos amar". Sim, mas primeiro ele veio para nos perdoar, pois todo o resto é consequência disso.

Você está disposto a dizer: "Sou um fracasso moral. Não amo a Deus de todo o meu coração, alma, força e mente. Não amo meu próximo como a mim mesmo. Portanto, sou culpado e necessito de perdão e absolvição antes de mais nada"? É preciso enorme coragem para admitir essas coisas, pois isso significa jogar fora sua autoimagem antiga e obter uma nova, por meio de Jesus Cristo. Contudo, essa é a base para todas as outras coisas que Jesus pode trazer à sua vida: todo o consolo, toda a esperança, toda a alegre humildade e tudo o mais.

Como você conseguirá a força para ser corajoso assim? Olhando para o próprio Jesus. Pois, se você pensa ser necessário ter coragem para estar com ele, considere que foi preciso infinitamente mais coragem para *ele* estar com *você*. Só o cristianismo diz que um dos atributos de Deus é a coragem. Nenhuma outra religião tem um Deus que necessitou de coragem. Como Packer salienta, Jesus só podia nos salvar enfrentando uma morte tão angustiante que o fez suar, tamanha a luta no jardim do Getsêmani. Ele se tornou mortal e vulnerável a fim de poder sofrer, ser traído e morto. Enfrentou tudo isso por você, e para ele valeu a pena. Olhe para ele enfrentando a escuridão por você. Isso o capacitará a enfrentar qualquer escuridão.

Certamente você já ouviu a expressão "Do seu trono se ausentou", no cântico "Eis dos anjos a harmonia". O que ela nos mostra? Que, voluntariamente, Jesus abriu mão de boa vontade e por amor da própria glória. Ninguém o forçou. Não era apenas um dever. Ele enfrentou dor inimaginável e a morte por amor a você. Nunca se interponha entre a mãe ursa e seu filhote. Pense nas várias histórias ou filmes que retratam uma mãe defendendo com firmeza seus filhotes, inclusive contra um inimigo impossível de resistir. De onde ela tira essa coragem toda? É *amor*. Por que Jesus tem coragem de fazer o que fez por nós? Amor! E como você encontrará sua coragem? Também pelo amor.

Veja Jesus fazendo tudo o que fez por você, e isso despertará seu amor por ele — e assim você terá coragem de colocá-lo no centro da sua vida. Dessa forma, ele estará com você, e você, com ele.

4

✳

ONDE ESTÁ O REI?

Depois de Jesus ter nascido em Belém da Judeia, no tempo do rei Herodes, vieram alguns magos do oriente a Jerusalém, perguntando: Onde está o rei dos judeus recém-nascido? Vimos sua estrela no oriente e viemos adorá-lo. Ao saber disso, o rei Herodes perturbou-se, e com ele toda a Jerusalém. [...] Então Herodes [...], enviando-os a Belém, disse-lhes: Ide e perguntai cuidadosamente sobre o menino. Quando o achardes, avisai-me, para que eu também vá adorá-lo. [...] Depois que os magos partiram, um anjo do Senhor apareceu a José em sonho e lhe disse: Levanta-te, toma o menino e a mãe e foge para o Egito; permanece lá até que eu fale contigo; porque Herodes procurará o menino para matá-lo. José levantou-se durante a noite, tomou o menino e a mãe, e partiu para o Egito; e permaneceu lá até a morte de Herodes. [...] Então Herodes, percebendo que havia sido enganado pelos magos, ficou furioso e mandou matar todos os meninos de dois anos para baixo, em Belém e nos arredores, de acordo com o tempo indicado com precisão pelos magos [...] Ouvindo [José], porém, que Arquelau reinava na Judeia em lugar de seu pai Herodes, José temeu ir para lá; e, avisado em sonho, dirigiu-se para a região da Galileia e foi morar numa cidade chamada Nazaré; para que se cumprisse o que os profetas haviam falado: Ele será chamado Nazareno (Mt 2.1-3,7,8,13-16,22,23).

Esse relato famoso do nascimento de Jesus aparece unicamente no livro de Mateus. Os magos — homens sábios e ilusionistas de terras orientais — foram a Jerusalém quando Jesus ainda era bebê em Belém. Apresentaram-se perante o governante da Judeia, o rei Herodes, e disseram: "Onde está o rei dos judeus recém-nascido?...".

Ora, quando você entra em um palácio e pergunta "Onde está *o* rei?", deixará alarmada a pessoa que estiver ocupando o trono. O texto nos fala que Herodes "perturbou-se" — um dos grandes eufemismos da Bíblia. A história relata que esse homem era um governante de excepcional violência, até para os padrões da época. Matou vários membros da corte e de sua própria família, a fim de assegurar que seu poder absoluto permaneceria sem ser contestado. Ao ouvir o relato dos magos, ele consultou os estudiosos, que lhe contaram que fora profetizado que o Messias nasceria em Belém. Por isso ele lhes pediu que fossem a Belém, encontrassem o tal Messias e então lhe enviassem notícias, "para que eu também vá adorá-lo". Na verdade, não há dúvidas, ele só queria matá-lo.

Os magos finalmente encontraram Jesus, mas então, advertidos por Deus em um sonho, retornaram para casa por outro caminho, sem falar nada para Herodes. Percebendo que fora enganado, o brutal rei massacrou todas as crianças com menos de dois anos de idade em Belém, apenas para se certificar de que eliminara o pretenso futuro governante. Pelo que sabemos a respeito da população de povoados como Belém naquela época, isso envolveria cerca de vinte a trinta crianças. Embora a história nos pareça chocante, essas atrocidades eram tão triviais no reinado de Herodes que nem mereceram qualquer outro registro histórico. De qualquer forma, deve ter sido uma experiência devastadora para a comunidade. Ter seu filho arrancado de você e brutalmente assassinado diante de seus olhos arrasaria qualquer pai ou mãe.

Jesus teria sido uma vítima dessa limpeza genocida também, se Deus não tivesse advertido José das intenções assassinas de Herodes. José levou Maria e o filho bebê, Jesus, para o Egito. Existia uma grande comunidade de judeus expatriados ali, em Alexandria, para onde fugiam aqueles que tinham diferenças políticas com Herodes. É bem provável que José tenha ido para lá. Ouvimos falar muito hoje de refugiados de guerra, perseguição e opressão. Aqui vemos que o próprio Jesus já foi um refugiado, expulso de sua terra natal. Quando Herodes morreu, José levou a família de volta à Judeia e se estabeleceu em Nazaré.

E então? Por que Mateus preservou essa narrativa? O que devemos aprender com ele? É importante lembrar que todos os autores dos Evangelhos — Mateus, Marcos, Lucas e João — tinham uma quantidade enorme de material ao qual recorrer. Eles foram seletivos, e, quando escolhiam nos contar algo da vida de Jesus, era sempre por pelo menos duas razões. A primeira era porque aquilo acontecera de verdade. A segunda, porém, era porque o fato era preservado por ser revelador. Revelava algo sobre quem Jesus realmente é, o que ele veio fazer e quais eram sua mensagem e ministério. Assim, o que Mateus está nos dizendo aqui sobre o significado do Natal e sobre o próprio Jesus?

A AMEAÇA DO REINO DE CRISTO

O relato de embuste e medo, derramamento de sangue, injustiça e ausência de um teto é mais do que familiar. Há grande mal lá fora, em nosso mundo. Contudo, quando perguntamos de onde vem esse mal, irrompe a controvérsia. Em um extremo do espectro estão os que defendem a ideia de responsabilizar os ricos e os poderosos. Essa visão tende a fazer dos pobres e das minorias os heróis da história mundial. No outro extremo, aqueles que insistem que pessoas imorais e irresponsáveis são o principal problema. Isso tende a fazer das pessoas trabalhadoras, decentes, de classe média as heroínas da história, e tanto os pobres sem ambição quanto as elites imorais, os vilões.

À primeira vista, nosso texto parece pender mais para o lado da primeira teoria. Afinal de contas, Herodes era um governante injusto, que abusava do seu poder e assassinava os inocentes. E um dos grandes temas da Bíblia é mesmo que Deus é contra quem oprime o pobre.[1] Todavia, o ensino completo da Bíblia afirma que a fonte do mal no mundo é *cada* coração humano. A reação do rei Herodes a Cristo, nesse sentido, é um retrato de todos nós.

Se você quer ser rei e aparece alguém se dizendo rei, um dos dois terá de desistir da ideia. Só um pode ocupar um trono absoluto. Como vimos, Jesus veio até nós afirmando ser Deus, o Rei. Disse ele: "Se alguém vier a mim e não odiar pai e mãe, esposa

---

[1] Há textos bíblicos estabelecendo essa verdade em demasia para citá-los todos aqui. Exploro mais o tema em Timothy Keller, *Generous justice: how God's grace makes us just* (New York: Riverhead, 2012) [edição em português: *Justiça generosa: a graça de Deus e a justiça social* (São Paulo: Vida Nova, 2013)].

e filhos, irmãos e irmãs — sim, até a própria vida — esse tal não pode ser meu discípulo" (Lc 14.26, NIV). Não se trata de um mandamento para você literalmente se encher de ódio contra a família. Jesus nos convida, em vez disso, a uma fidelidade tão suprema que faça todos os outros compromissos parecerem frágeis em comparação a este mencionado em Lucas. Trata-se de uma reivindicação de autoridade absoluta, um chamado à lealdade incondicional, e é inevitável que ela desencadeie profunda resistência no interior do coração humano.

Em Romanos 8.7,8, Paulo diz que, em seu estado natural, a mente humana é *echthra*, literalmente "inimizade" ou aquela que abriga ódio contra Deus. Em seguida ele acrescenta: "... não está sujeita à lei de Deus, nem pode estar". No centro do coração humano há um impulso que diz: "*Ninguém* fala para *mim* o que eu devo fazer". Cultura e treinamento conseguem percorrer longo caminho no sentido de nos ensinar a esconder esse instinto profundo, inclusive de nós mesmos. Queremos ver a nós mesmos e ser vistos pelos outros como cooperativos, como quem joga no mesmo time, como pessoas gentis e amorosas. Há várias razões pelas quais é necessário que vivamos negando o quanto esse instinto é poderoso. No entanto, não há quantidade de educação ou terapia capazes de removê-lo.

De acordo com a Bíblia, em última instância o mal do mundo brota do egocentrismo, da certeza da própria justiça e da concentração de cada coração humano em si mesmo. Cada um de nós deseja que o mundo gire a sua volta e em função de suas necessidades e desejos. Não queremos servir a Deus ou a nosso próximo: queremos que eles nos sirvam. Em cada coração, portanto, existe um "pequeno rei Herodes" querendo governar e sendo ameaçado por tudo que possa comprometer sua onipotência e soberania. Cada um de nós quer ser o capitão da própria alma, o mestre do próprio destino.

Existe uma inimizade natural do coração humano contra todas as afirmações de soberania que se elevem acima dele. Ela aumenta um pouco quando pequenas reivindicações nos afetam. Acontece que as reivindicações de autoridade de Jesus são definitivas e infinitas. Não há coração que, desassistido, seja capaz de se submeter alegremente a elas.

No livro de Romanos, Paulo diz isso com muita clareza. Em Romanos 3.10,11 ele menciona: "... Não há justo, nem um sequer. Não há quem entenda; não há quem busque a Deus". É normal considerar essa declaração um exagero flagrante. Talvez, você conteste, seja verdade que ninguém é perfeitamente bom e justo. Mas como se pode afirmar que não há ser humano que busque a Deus? Não existem milhões de pessoas sinceras buscando a Deus? A resposta dos teólogos cristãos ao longo dos séculos tem sido no sentido de fazer duas distinções.

A primeira, argumentam eles, é que desejar as coisas que Deus dá — amor, auxílio, força, perdão, felicidade — não é buscar ou desejar de fato o próprio Deus. Muitos parecem buscá-lo, mas com suas atitudes parecem mais interesseiros, do tipo que faz amizades ou se casa só por dinheiro. A evidência dessa visão é forte, uma vez que muitos confessam ter abandonado a fé porque a vida não seguia pelo rumo que desejavam e Deus não estava respondendo a suas orações.

A segunda, sustentam os teólogos, é que as pessoas podem buscar um Deus que corresponda ao que elas querem que ele seja, mas ninguém busca Deus conforme ele se revela na Bíblia. Muitos anos atrás, eu estava assistindo a um programa de entrevistas cujo convidado era um ateu. O apresentador era crente em Deus, mas, ao fim do debate, o ateu saiu vitorioso. Frustrado, o apresentador do programa fez algo no melhor estilo norte-americano. Promoveu uma enquete entre a plateia no estúdio. "Quantos de vocês acreditam em algum tipo de deus?", perguntou. A maioria levantou a mão e, imagino eu, o homem pensou que tinha ganhado a discussão. (Não ganhou.)

Sempre tento imaginar o que teria acontecido se, em vez disso, esse apresentador tivesse perguntado a sua plateia: "Quantos de vocês acreditam no Deus da Bíblia, o Deus que desce sobre o monte Sinai em meio a fogo e fumaça, que diz 'de modo algum purificarei o culpado', que avisa aos seres humanos que, se alguém se aproximar de sua glória, com certeza morrerá no mesmo instante? Quantos de vocês acreditam nesse Deus?". Tenho quase certeza de que bem menos mãos se ergueriam, se houvesse alguma levantada.

E isso nos mostra uma das verdades escondidas do Natal. O episódio obscuro da violenta paixão do rei Herodes pelo poder demonstra nossa resistência natural, nosso ódio até, às reivindicações de Deus sobre nossa vida. Criamos deuses que nos agradam para mascarar nossa própria hostilidade contra o Deus verdadeiro, que se revela como nosso Rei absoluto. E, se o Senhor nascido no Natal é o verdadeiro Deus, então ninguém o buscará a menos que nosso coração seja transformado de maneira sobrenatural a fim de desejá-lo e buscá-lo.

Por isso Paulo pode dizer que todos os seres humanos são naturalmente inimigos de Deus (Rm 5.10). Isso vale para pessoas religiosas. Na religião, tentamos domesticar Deus, buscando torná-lo nosso devedor; fazemos muitas coisas a fim de que ele seja obrigado a nos abençoar da forma que queremos. Leia os capítulos de 1 a 5 de Romanos. Você verá que Paulo está afirmando que os religiosos são tão hostis à soberania de Deus quanto os irreligiosos. Apenas encontram maneiras religiosas de expressar e esconder isso.

"Onde está o verdadeiro Rei?". Essa pergunta é a mais perturbadora possível para o coração humano, uma vez que queremos a todo custo permanecer no trono da nossa própria vida. Podemos usar a religião para ficar sobre esse trono, tentando colocar Deus na posição de ter de cumprir nossas ordens porque somos justos demais, em vez de servi-lo incondicionalmente. Ou podemos fugir da religião, tornar-nos ateus e afirmar a plenos pulmões que não há Deus. De um jeito ou do outro, expressamos nossa hostilidade natural ao senhorio do verdadeiro Rei.

ABANDONANDO A NEGAÇÃO

Você sabe que existe essa hostilidade profunda contra Deus em seu coração? Se pensa que estou exagerando, você não se conhece. Está fora da realidade. Aqui vão alguns conselhos respeitosos.

Para os que estão indecisos em relação ao cristianismo ou talvez até quanto à existência de Deus, lembrem-se de que vocês não são objetivos. Thomas

Nagel, filósofo e ateu, é de uma honestidade revigorante no que diz respeito a seus sentimentos.

> Refiro-me [...] ao medo da religião em si. Falo por experiência própria, eu mesmo sou fortemente dominado por esse medo. Quero que o ateísmo seja verdadeiro e fico receoso com o fato de algumas das pessoas mais inteligentes e bem informadas que conheço serem crentes religiosas. Não se trata apenas de eu não crer em Deus e naturalmente espero que minha convicção esteja correta. Espero que Deus não exista! Não quero que haja um Deus. Não quero que o universo seja assim. Tenho o palpite de que esse problema de autoridade cósmica não é raro.

A expressão "problema de autoridade cósmica" se alinha quase com perfeição às palavras de Paulo de que todos os seres humanos se ressentem das reivindicações de soberania divina. Nagel acrescenta, em uma nota de rodapé, que duvida "de que haja alguém genuinamente indiferente à existência de Deus".[2]

Portanto, ninguém é de fato neutro quanto à veracidade do Natal. Se o Filho de Deus nasceu mesmo em uma manjedoura, perdemos o direito de

---

[2]Thomas Nagel, *The last word* (Oxford: Oxford University Press, 1997), p. 130 [edição em português: *A última palavra*, tradução de Carlos Felipe Moisés (São Paulo: UNESP, 2001)].

permanecer no comando da nossa vida. Quem consegue ser objetivo acerca de uma afirmação que, se verdadeira, significa que você perdeu o controle da sua vida? Você é que não. Tenha isso em mente se não acredita no cristianismo. Desconfie de suas dúvidas.

Também tenho uma palavra de aconselhamento para os cristãos. Talvez vocês digam: "Como podemos ser inimigos de Deus? Paulo não diz que por meio de Jesus fomos reconciliados com ele, que temos paz com ele" (Rm 5.1-11)? Sim, isso é maravilhosamente verdadeiro. Ele nos perdoou e fomos reconciliados com ele. Mas você precisa reconhecer (como Paulo nos mostra em Romanos 6—8) que ainda tem um coração com raiva e com hostilidade *residuais* contra Deus. Essas coisas continuam aí. Enquanto não chegarmos ao fim dos tempos e não formos glorificados, recebendo nossos corpo e alma perfeitos, elas continuarão. Leve sempre isso em consideração.

Por que você acha que é tão difícil orar? Por que acha que é tão difícil se concentrar na pessoa mais gloriosa possível? Por que, quando Deus responde a uma oração, você promete: "Ah, jamais me esquecerei disso, Senhor", mas, mesmo assim, se esquece logo em seguida? Quantas vezes você disse: "Nunca mais farei isso!" e repetiu o mesmo ato duas semanas depois? Em Romanos 7.15, Paulo confessa: "... não pratico o que quero, e sim o que odeio". Ainda há um pequeno rei Herodes no seu interior. Isso significa que você tem de ser muito mais intencional no que diz respeito a crescimento cristão, a oração e a prestar contas a outras pessoas de modo a vencer seus maus hábitos. Não dá para simplesmente levar a vida cristã no piloto automático. Ainda existe algo em você que luta contra isso.

A FRAGILIDADE DO REINO DE CRISTO

O Natal nos mostra que o Rei veio ao mundo. Contudo, a Bíblia nos diz que Jesus vem como Rei duas vezes, não uma. Na segunda, ele virá em poder para pôr fim a todo mal, sofrimento e morte. Na primeira vez — a vinda do Natal — ele veio não em força, mas em fraqueza, em uma família pobre dentro de um estábulo.

> Não busque nas cortes, nem nos palácios,
> tampouco afaste cortinas reais;
> mas procure no estábulo, veja seu Deus,
> deitado sobre a palha.[3]

---

[3] William Billings, "Methinks I see a heav'nly host" in: *The singing master's assistant* (1778), disponível em: www.hymnsandcarolsofchristmas.com/Hymns_and_Carols/heavenly_host.htm, acesso em: 27 mar. 2017.

Jesus não se comporta como o rei que o mundo espera. Não veio com quaisquer credenciais acadêmicas. Não tinha nenhum status social. Quando José trouxe a família de volta, estabeleceu-se o mais longe possível dos centros de poder real. Foi para Nazaré (Mt 2.22,23). Assim, Jesus não só nasceu em uma manjedoura, mas também foi criado como nazareno. O que isso significava? Você encontra uma pista em João 1, quando Natanael fica sabendo que Jesus é de Nazaré e se assusta. Ele indaga com espanto: "... Pode vir alguma coisa boa de Nazaré?..." (Jo 1.46). Na Judeia, todo o mundo menosprezava quem fosse proveniente de lugares tão atrasados como Nazaré e a Galileia. Contudo, como o texto nos mostra, Deus dispôs as coisas de tal forma que foi exatamente nesse lugar onde o Messias do mundo cresceu.

O mundo sempre desprezou pessoas dos lugares errados e com as credenciais erradas. Estamos sempre tentando nos justificar. Precisamos desesperadamente nos sentir superiores aos outros. E tudo relacionado a Jesus contradiz e se opõe a esse impulso. No filme *Wall Street*, de 1987, o jovem Bud Fox, interpretado por Charlie Sheen, arregala os olhos diante do preço da obra de arte pendurada na parede da casa de Gordon Gekko em Hamptons. Quando descobre quanto vale o quadro, exclama: "Você poderia ter uma casa de praia inteira!". Daryl Hannah, protegida de Gekko, tira sarro dele: "Claro que poderia. Em *Wildwood*, Nova Jersey".[4] É quase como se dissesse: "Claro que sim, se você for alguém desse povão retrógrado, um zé-ninguém, que vive em Nazaré". Se você for de Nazaré, não é possível que esteja entre as pessoas mais importantes. O mundo insiste em que, se alguém tem as respostas, esse alguém deve ter vindo de determinados lugares. Deve ser uma pessoa com determinadas credenciais. Com uma aparência determinada, tendo frequentado determinadas escolas. Deve ter vindo da cidade de Nova York, não do Mississippi. Deve ser um professor de Harvard, não alguém com apenas um diploma do colégio.

O ensino bíblico, no entanto, é não apenas que Deus não age dessa maneira, como costuma agir da maneira exatamente oposta. A maior personagem da história mundial nasceu em uma manjedoura e veio de Nazaré. A Bíblia inteira é assim. No início Deus apresenta sua mensagem não por meio de egípcios, romanos, assírios ou babilônios, mas pelos judeus, nação fraca e raça pequena que raras vezes ocupa o

---

[4] *Wall street*, escrito por Stanley Weiser; Oliver Stone, dirigido por Oliver Stone, 1987. O roteiro está disponível em: http://www.imsdb.com/Movie Scripts/Wall Street Scrip.html, acesso em: 27 mar. 2017.

poder. Livra-se de Golias não com um gigante ainda maior, mas com um menino pastor, a quem o gigante ridiculariza. É assim que Deus trabalha. Como ele fala com Elias? Por meio do terremoto, do vento e do fogo? Não. Com uma voz mansa, suave.

Na antiguidade, quando o filho mais velho ficava sempre com toda a riqueza e o segundo filho ou os filhos mais novos não tinham nenhum status social, como Deus age? Por meio de Abel, não de Caim. Por meio de Isaque, não de Ismael. Por meio de Jacó, não de Esaú. Por meio de Efraim, não de Manassés. Por meio de Davi, não de seus irmãos mais velhos. Em uma época em que as mulheres eram valorizadas pela beleza e fertilidade, Deus escolhe uma idosa, Sara, não a jovem Agar. Escolhe Leia, não Raquel — a desinteressante Leia, a quem Jacó não ama. Escolhe Rebeca, que não pode ter filhos; Ana, que não pode ter filhos; a mãe de Sansão, que não pode ter filhos; Isabel, mãe de João Batista, que não pode ter filhos. Por quê? Vezes e mais vezes e mais vezes Deus diz: "Escolherei Nazaré, não Jerusalém. Escolherei a menina que ninguém quer. Escolherei o menino que todo o mundo esqueceu".

Por quê? Só porque Deus gosta de joões-ninguém? Não. Ele quer nos dizer algo sobre a própria salvação. Todas as outras religiões e filosofias morais o instruem a reunir suas forças e viver como se deve.

Portanto, se agradam do forte, de pessoas capazes de se recompor sozinhas, de "reunir grande coragem". Só Jesus diz: "Vim para o fraco. Vim para quem se reconhece fraco. Eu os salvarei não pelo que fazem, mas pelo que eu faço". Ao longo da vida de Jesus, apóstolos e discípulos lhe dizem o tempo todo: "Jesus, quando o senhor assumirá o poder e salvará o mundo?". Ao que Jesus responde o tempo todo: "Vocês não compreendem. Perderei todo o meu poder e morrerei para salvar o mundo".

No auge da vida, ele subiu não a um trono, mas a uma cruz. Veio como nosso substituto para levar o mal sobre si, o sofrimento e a morte: as consequências de termos dado as costas para Deus. Fez isso para que, se crermos, possamos ser reconciliados com ele, de modo que, quando vier como Rei na segunda vez, possa pôr fim a todo o mal sem acabar conosco. Ou seja, sua fraqueza era na verdade sua força.

Onde isso nos leva? A um consolo e a um desafio. Eis o consolo: não me importa quem você é; não me importa o que fez; não me importa se já esteve na folha de pagamento do inferno. Não me importa o seu histórico; não me importa que segredos profundos e obscuros constam do seu passado. Não me importa o tamanho da confusão que você aprontou. Se você se arrepender e se achegar a Deus por meio de Jesus, não só Deus *há* de aceitá-lo e de trabalhar em sua vida, como se *deleitará* em operar por intermédio de pessoas como você. Ele tem feito isso ao longo de toda a história do mundo.

No entanto, eis o desafio: precisamos de cristãos em toda parte. Isso inclui os centros de poder cultural, onde residem os influentes, talentosos, ricos e belos. Todavia, tudo que diz respeito ao Natal nos ensina para não termos a cabeça voltada para essas pessoas, para não sermos preconceituosos e favorecê-las. Os cristãos também devem considerar cada uma delas como seu próximo e viver entre elas, amá-las e servi-las. Existem tentações para aqueles que agirem assim. Devem fazê-lo sem nenhuma necessidade ou desejo de entrar no "círculo seleto" dos "descolados" e poderosos. Natal significa que raça, estirpe, riqueza e status não importam nada, afinal de contas. Significa não ter preconceito contra o pobre — e não se deixar influenciar injustamente nem contra nem a favor dos ricos. Não devemos ser esnobes e *nem* esnobes para com os esnobes.

Os cristãos que entendem o que significa o Natal conseguem ser livres de tudo isso. Porque Jesus Cristo deixa de cabeça para baixo a ideia que o mundo faz de sucesso.

5

✴

A FÉ DE MARIA

... o nome [da virgem] era Maria. O anjo veio onde ela estava e disse: Alegra-te, agraciada; o Senhor está contigo. Mas, ao ouvir essas palavras, ela ficou muito perturbada e começou a pensar que saudação seria essa. Então o anjo lhe disse: Não temas, Maria; pois encontraste graça diante de Deus. Ficarás grávida e darás à luz um filho, a quem darás o nome de Jesus. Ele será grande e se chamará Filho do Altíssimo; o Senhor Deus lhe dará o trono de Davi, seu pai; ele reinará eternamente sobre a descendência de Jacó, e seu reino não terá fim. Então Maria perguntou ao anjo: Como isso poderá acontecer, se não conheço na intimidade homem algum? O anjo respondeu: O Espírito Santo virá sobre ti, e o poder do Altíssimo te cobrirá com a sua sombra; por isso aquele que nascerá será santo e será chamado Filho de Deus. Também Isabel, tua parente, espera um filho sendo já idosa; aquela que era chamada estéril está de seis meses; porque para Deus nada é impossível. Maria então disse: Aqui está a serva do Senhor; cumpra-se em mim a tua palavra. E o anjo a deixou e partiu (Lc 1.27-38).

Quando Isabel ouviu o cumprimento de Maria, a criancinha saltou em seu ventre; Isabel ficou cheia do Espírito

Santo e exclamou em voz alta: Bendita és tu entre as mulheres, e bendito é o fruto do teu ventre! Mas por que me acontece isto, que venha me visitar a mãe do meu Senhor? Pois, logo que ouvi o teu cumprimento, a criancinha saltou de alegria dentro de mim. Bem-aventurada a que creu que se cumprirão as coisas que lhe foram faladas da parte do Senhor. Então, Maria disse: A minha alma engrandece ao Senhor, e o meu espírito exulta em Deus, meu Salvador; porque deu atenção à condição humilde de sua serva. A partir de agora, todas as gerações me chamarão bem-aventurada, porque o Poderoso fez grandes coisas para mim; o seu nome é santo. [...] Auxiliou Israel, seu servo, lembrando-se de sua misericórdia para com Abraão e sua descendência para sempre, como prometera aos nossos pais (Lc 1.41-49,54,55).

Até aqui, analisamos o significado do Natal neste livro. Ele significa esclarecimento e luz espiritual de Deus; reconciliação e paz com Deus pela graça; e Deus assumindo uma natureza humana.

Em suma, discutimos até o momento as grandes coisas que Deus nos dá no Natal. Agora precisamos considerar como reagir ao que ele nos dá, como receber tudo isso. Também é hora de deixarmos as passagens de Mateus que nos contam sobre o papel de José e de nos voltarmos para Maria, a mãe de Jesus. Por que Lucas fala tanto sobre a reação de Maria à encarnação? Creio que em grande parte seja para mantê-la como modelo de como é a fé cristã receptiva. O que podemos aprender com Maria?

ELA É PONDERADA EM SUA REAÇÃO

Um anjo aparece para transmitir a Maria uma mensagem de Deus. Sempre ouço pessoas dizerem: "Sou cético e faço muitas perguntas. As pessoas religiosas não, elas acreditam e pronto". Todavia, neste trecho, ninguém pode acusar Maria de nada parecido com "fé cega". Ela não diz: "Que maravilha. Um anjo falando comigo!". Não, o texto narra: "Mas, ao ouvir essas palavras, ela ficou muito perturbada e começou a pensar que saudação seria essa" (Lc 1.29). O verbo "pensar" aqui não é das melhores traduções. A palavra grega significa "fazer auditoria". Trata-se de um termo contábil e significa somar tudo, pesar e ponderar, ser *intensamente racional*. Claro que Maria está se sentindo "perturbada" — como qualquer pessoa normal ficaria diante de uma aparição dessas. "Estou mesmo vendo um anjo de verdade? Será uma alucinação? O que está acontecendo aqui?" Ela não aceita de pronto a mensagem; em vez disso, pergunta: "Como isso pode ser?". Maria nos mostra que reagir com fé é uma experiência que envolve a pessoa como um todo, o que inclui o intelecto.

Pessoas modernas tendem a ler textos antigos com arrogância, como se todas as pessoas de épocas passadas tivessem QI inferior ao nosso hoje. Presumimos que fossem crédulas, supersticiosas e prontas a acreditar em qualquer coisa. Mas claro que dois mil anos atrás elas não eram menos inteligentes, e Maria reage de maneira muito parecida como você faria se um anjo aparecesse na sua frente e começasse a lhe falar. Você e eu somos treinados por nossa cultura para não acreditar no sobrenatural. Como vimos anteriormente, na condição de mulher judia, Maria fora treinada pela cultura dela para não acreditar que Deus seria capaz de se tornar um ser humano. Assim, embora diferentes, as barreiras que ela enfrentou contra a fé na mensagem de Natal eram tão grandes quanto aquelas que talvez você esteja enfrentando no momento. Contudo, uma combinação de evidência e experiência fez ruir as barreiras, e ela passou a crer. Hoje em dia o funcionamento é idêntico. Ela duvidou, questionou, usou a razão e fez perguntas — exatamente como devemos fazer hoje, se nossa intenção for ter fé.

Os leitores de Lucas 1 recebem mais uma informação acerca desse assunto. Mais no início do capítulo, um anjo aparece para Zacarias, pai de João Batista, e diz que, embora Zacarias e a mulher fossem avançados em idade, teriam um filho. Zacarias, no entanto, está muito incerto. Em resposta, o anjo diz que ele não conseguirá falar até o filho João nascer. Mas, quando Maria expressa dúvidas, não há qualquer indício de reprovação divina. Qual é a diferença?

Vemos aqui que, sob o ponto de vista bíblico, as dúvidas são ricas de nuances maravilhosas. Em muitos círculos, ceticismo e dúvida são considerados um bem absoluto, incontestável. Entretanto, em diversos círculos religiosos conservadores e tradicionais, todo e qualquer questionamento ou dúvida é tido negativo. Se você participa do grupo de jovens de uma igreja e tem perguntas sobre a Bíblia, o líder dos jovens pode enfurecer-se: "Você não deveria duvidar! Precisa ter fé".

O que encontramos na Bíblia não é nem uma visão nem outra. Existe um tipo de dúvida que é considerada sinal de uma mente fechada e um tipo de uma mente aberta. Algumas dúvidas buscam respostas, ao passo que outras são uma defesa contra a possibilidade de respostas. Há pessoas como Maria, abertas à verdade e dispostas a renunciar à soberania sobre a própria vida se alguém puder lhes mostrar que a verdade é diferente daquela que imaginavam. E existem aquelas como

Zacarias, que usam as dúvidas como uma maneira de permanecerem no controle da própria vida e de manterem a mente fechada. Que tipo de dúvida você tem?

ELA VAI REAGINDO AOS POUCOS

A fé de Maria acontece em estágios. A fé cristã requer o envolvimento da nossa vida inteira. No entanto, poucos vão da falta de compromisso ao comprometimento pleno de uma só tacada. Como funciona esse processo? Ele pode ser muito diferente de pessoa para pessoa.

É perigoso uniformizar a experiência cristã. John Bunyan, autor de *O peregrino*,[1] passou quase um ano e meio em estado de grande agonia e depressão antes de superar tudo e receber a graça e o amor de Deus. No entanto, a primeira vez que o carcereiro filipense ouviu o evangelho houve um lampejo de reconhecimento, ele aceitou Deus plenamente e foi batizado de imediato (At 16.22-40). É errado apontar para Bunyan e insistir em que os verdadeiros cristãos só podem se achegar a Cristo por meio de uma longa temporada de luta, grande empenho e angústia. Igualmente errado é apontar para as conversões

---

[1] Rio de Janeiro: CPAD, 2009.

dramáticas e repentinas como a do carcereiro e perguntar: "Você sabe o dia e a hora exata em que se tornou cristão?". Gosto do fato de Maria ficar no meio-termo — nem como Bunyan, nem como o carcereiro — e, portanto, mostrar-nos que conversão e aceitação acontecem em velocidades variadas para pessoas diferentes. Não podemos padronizar quando e como tais coisas devem acontecer. No entanto, ao olhar para o processo por que Maria passou, aprendemos muito sobre nossa própria jornada.

A primeira reação dela foi de *incredulidade comedida*. Ao ouvir a mensagem do evangelho pela primeira vez, ela disse: "... Como isso poderá acontecer...?" (Lc 1.34). Um jeito educado de dizer: "Isso é uma maluquice completa — impossível!". A menos que você tenha ouvido a mensagem cristã e considerado em *algum* momento ser impossível crer nela, não tenho certeza se a compreendeu de verdade. Sei que há diferença entre crianças educadas na fé cristã e aquelas sem um histórico desse tipo. O cristianismo pode nunca ter sido estranho para você. Mas, se nunca parou e olhou para o evangelho e o considerou ridículo, impossível, inconcebível, não acho que você o tenha entendido de verdade. Maria tem dificuldade para acreditar. Mesmo assim, sua reação é comedida. Não interrompe a conversa. Pede mais informação.

Seu segundo estágio é a *simples aceitação*. Ela diz: "Sou serva do Senhor. Que sua palavra para mim se cumpra". Ela não diz: "Agora sim, tudo ficou claro! Entendi!", nem: "Amei esse projeto, estou entusiasmada de fazer parte dele". Mas diz: "Não faz o menor sentido para mim, mas me empenharei, eu o seguirei". Esse pode ser um espaço importante a ocupar, ao menos durante algum tempo. Algumas pessoas não dão um passo em direção a Jesus a menos que recebam o pacote completo de uma vez só: racional, emocional e pessoal. Para elas, ou é alegria extasiante em Deus ou não é nada. No entanto, às vezes você só consegue fazer o mesmo que Maria: submeter-se apenas e confiar, a despeito de seus temores e reservas. Isso lhe dá um ponto de apoio para seguir em frente.

Alguns anos atrás, conversei com uma mulher que vinha à igreja com regularidade, embora não tivesse sido criada no cristianismo, nem jamais tivesse frequentado uma igreja antes. Quando lhe perguntei qual sua posição em relação à fé, ela respondeu algo mais ou menos assim: "Eu costumava pensar que o cristianismo era ridículo, mas não penso mais assim. Na verdade, de repente me ocorreu que as alternativas são ainda menos críveis, e não tenho um bom motivo para não abraçá-lo. Todavia, ainda não tenho certeza e temo o que ele significará. Apesar disso, aqui estou eu. É o que quero. Só não sei como recebê-lo". Também foi desse modo que Maria seguiu em frente.

Por fim, vemos que ela acaba *exercendo fé com o coração*. Só quando visita a prima Isabel, grávida de João Batista, tudo se esclarece para Maria. Isabel, pelo poder do Espírito Santo, percebe que Maria carrega no ventre a criança messiânica (v. 41-45). O conhecimento e a percepção de Isabel confirmam o que o anjo disse, e isso confere a Maria segurança mais profunda em sua fé. Ela então irrompe em um louvor que, em suas próprias palavras, lhe envolveu todo o coração: "... A minha alma engrandece [...] o meu espírito exulta..." (v. 46,47). Também relaciona tudo que lhe está acontecendo com as promessas da Bíblia ao longo dos séculos (v. 50-55). Não se trata agora de sujeitar meramente sua vontade, mas de entregar o coração com alegria. No fim, a fé sempre vai além da anuência mental e do dever e envolve o eu inteiro: mente, vontade e emoções.

Por que a fé exige todo esse tempo e segue por tantos caminhos diferentes? Porque a fé verdadeira não é algo que você decide exercitar por vontade própria. Não é um processo que você controle. Como vimos no último capítulo, temos profunda intolerância contra a ideia de que não estamos no comando da nossa vida. Somos incapazes, sozinhos, de simplesmente crer em Jesus. Ao longo dos anos, nunca conheci ninguém que se entregou à fé pelo simples fato de que resolveu desenvolver fé e por isso levou a cabo seu plano. Não, Deus precisa abrir nosso coração e nos ajudar a superar nossas intolerâncias e negações. Uma das marcas da verdadeira fé cristã, portanto, é o senso de que existe algum tipo de poder que lhe é exterior colocando as mãos sobre você, aproximando-se de você e lidando com você. Tal poder lhe mostra coisas que você acha incríveis, ajuda-o a enxergar que isso é verdadeiro e depois o capacita a se regozijar e a se entregar. Aquele que fez você no início o está fazendo de novo (veja Tt 3.4-7). A menos que ele venha e se revele para nós, como aconteceu com Maria, jamais seremos capazes de achá-lo.

ELA REAGE MARAVILHANDO-SE

Já mencionamos que Maria canta: "... A minha alma engrandece ao Senhor, e o meu espírito exulta em Deus, meu Salvador" (Lc 1.46,47). A alma e o espírito, na Bíblia, não são diferentes. Maria não está querendo dizer "A parte de mim que é alma estava fazendo uma coisa e a parte que é espírito, outra". O que ela quer dizer com a repetição, um recurso literário semita típico para dar ênfase a determinada questão, é que se emocionara até o fundo do seu ser. Ela não está dizendo: "Acho que isso poderia agregar valor a minha vida", ou: "É justamente disso que eu precisava para alcançar meus objetivos na vida". Não há nada calculado acerca disso. Ela não pesou custos e benefícios para resolver fazer algo. Maria foi pega por inteiro — seu raciocínio está convencido, seus sentimentos, cativos, e sua vontade, alegremente rendida.

Contudo, há também uma nota de perplexidade no fato de que aconteceu com *ela*. Maria está olhando para os corredores do tempo nesse cântico, lembrando-se das antigas promessas feitas a Abraão, de todas as vezes que Deus libertou seu povo no passado e de todos os seus poderosos feitos. No meio disso tudo, ela constata: "... deu atenção à condição humilde de sua serva. [...] o Poderoso fez grandes coisas *para mim*..." (v. 48,49, grifo do autor). Deus passou séculos se preparando para esse dia, e agora salvará o mundo por intermédio de uma menina simples, pobre, adolescente, ainda solteira. "Para mim." Há um tom de júbilo e assombro por Deus a estar abençoando e honrando.

Eu diria que, apesar dos aspectos únicos da situação de Maria, deveríamos todos ficar estupefatos por sermos cristãos, pelo fato de o grande Deus operar em nós. Em *O little town of Bethlehem* [Ó cidadezinha de Belém], entoamos: "Ó santa criança de Belém, desce sobre nós, pedimos; lança fora nosso pecado e entra em nós, nasce em nós hoje". Uma imagem ousada, mas muito correta. Todo cristão é como Maria. Todos que depositam fé em Cristo recebem, pelo Espírito Santo, "Cristo *em* vós, a esperança da glória" (Cl 1.27, grifo do autor). Deveríamos nos sentir igualmente chocados por Deus se dispor a nos dar — com toda a nossa pequenez e defeitos — um presente tão poderoso. Sendo assim, nenhum cristão jamais deveria deixar de sentir espanto pelo fato de "Eu, dentre tanta gente, ser amado e abraçado por sua graça!".

Eu chegaria a ponto de dizer que esse tom constante de surpresa é uma marca de qualquer um que compreenda a essência do evangelho. O que é o cristianismo? Se você pensa que cristianismo é ir à igreja, adotar um certo credo e viver determinado tipo de vida, então não haverá nenhum tom de maravilhamento e surpresa no fato de você ser crente. Se alguém lhe perguntar "Você é cristão?", sua resposta será: "Claro que sou! Dá trabalho, mas vou levando. Por que a pergunta?". Desse ponto de vista, cristianismo é algo feito *por* você e não há nenhum assombro no fato de ser cristão. Todavia, se o cristianismo for algo feito *para* você, em seu favor e em você, então existe um tom constante de surpresa e maravilhamento. John Newton escreveu o hino:

> Amemos e cantemos e nos maravilhemos,
> louvemos o nome do Salvador.
> Ele silenciou o bramido estrondoso da lei,
> extinguiu a chama do monte Sinai.
> Lavou-nos com seu sangue
> trouxe-nos para junto de Deus.[2]

Veja de onde vêm amor e maravilhamento, pois ele fez tudo isso e nos levou para junto de si. Ele o fez. Portanto, se alguém lhe perguntar se você é cristão, não diga: "Claro!". Não deve haver nada de "claro" nisso. Seria mais apropriado responder: "Sou, sim, e isso é um milagre. Logo eu! Cristão! Quem haveria de imaginar algo assim? No entanto, ele fez isso, e eu sou dele".

ELA REAGE SE RENDENDO DE BOA VONTADE

Voltemos à famosa declaração de Maria em Lucas 1.38: "... Aqui está a serva do Senhor; cumpra-se em mim a tua palavra...". Uma declaração de obediência com muito a nos ensinar.

---

[2] John Newton, "Let us love and sing and wonder" (1774). O hino pode ser encontrado em http://cyberhymnal.org/htm/l/e/letuslov.htm, acesso em: 28 mar. 2017.

Primeiro, não se trata de uma obediência cega, mas teologicamente fundamentada. Não é uma simples sujeição a uma força maior. Ela não diz entre dentes: "Deus, todas as cartas estão nas suas mãos. Não tenho alternativa". Quando fala: "Aqui está a serva do Senhor", Maria fundamenta sua obediência na realidade de que ele é Deus, nosso criador e sustentáculo, portanto merece que o sirvamos. Não temos o conhecimento, o poder ou o direito de lhe dizer o que deve fazer.

Décadas atrás, ouvi uma palestra em um centro de conferências cristão sobre entregar nossa vida a Cristo e sobre fazer sua vontade, não a nossa. Duas perguntas nos foram feitas. A primeira: você está disposto a obedecer e fazer qualquer coisa que a Bíblia lhe diz claramente para fazer, quer goste, quer não? A segunda: você está disposto a confiar em Deus em qualquer situação que ele enviar para sua vida, quer a compreenda, quer não? Se não puder responder às duas perguntas de modo afirmativo, foi-nos dito, você talvez creia em Jesus de uma forma genérica, mas você nunca lhe disse: "Sou servo do Senhor". As perguntas me surpreenderam, mas até hoje creio que sejam indicadores precisos daquilo para o que os cristãos estão sendo chamados.

Outra palestra da mesma conferência me ajudou a fazer o que chamo de "fundamentação teológica" para esse tipo de serviço ao Senhor. A mulher que a proferiu disse o seguinte: "Se a distância entre a Terra e o Sol — 149.600.000 quilômetros — não fosse mais que a espessura de uma folha de papel, a distância da Terra até a estrela mais próxima seria uma pilha de papéis de 21,30 metros de altura; o diâmetro da Via Láctea seria uma pilha de papéis com mais de 483 quilômetros de altura. Tenha em mente que existem mais galáxias no universo do que somos capazes de enumerar. Ao que nos parece, mais do que partículas de poeira no ar ou grãos de areia nas praias. Ora, se Jesus Cristo sustenta tudo isso com uma só palavra do seu poder (Hb 1.3), será que ele é o tipo de pessoa que você convida a entrar em sua vida para atuar como seu assistente?". Essa lógica simples estraçalhou a resistência que eu tinha de agir como Maria. Sim, se ele é mesmo assim, como posso tratá-lo como um consultor em vez de como o Senhor supremo?

Maria entregou sua vontade a Deus. Pense por um instante em tudo o que lhe estava sendo pedido — porque ela o fez, tenho certeza disso. Lembre-se de certas realidades culturais que observamos alguns capítulos atrás, quando analisamos a mensagem do anjo para José. Maria estava prestes a ter um filho e, mesmo que José permanecesse ao seu lado, as pessoas fariam as contas: "Casaram tal dia, o bebê nasceu em tal outro [...] Ei, espere um pouco!". Ela sabia que na sociedade tradicional e paternalista de uma cidade pequena seria sempre vista como a mãe de um filho ilegítimo. A comunidade inteira pensaria que ou ela tivera relações sexuais com José antes do casamento ou que fora infiel ao noivo. Ela sabia que Jesus seria visto como um bastardo, mesmo assim declarou: "Aqui está a serva do Senhor". Ela sabia em que confusão estava se metendo. "Isso pode significar uma vida de desgraça — ou algo pior. Venha o que vier, eu aceito".

Maria estabelece uma relação entre a promessa de Deus a Abraão e sua promessa para ela (v. 55), e a comparação é válida. Pense no que a promessa de Deus a Abraão e seu fiel serviço a essa promessa custaram a Abraão. Deus lhe disse: "Quero trazer salvação ao mundo por seu intermédio — por seu corpo, por sua família". Abraão respondeu: "O que, então, o que o senhor quer que eu faça?". Deus retrucou: "Saia daqui! Deixe sua terra natal, sua família, seus amigos. Deixe tudo que você conhece, toda a sua segurança. Saia para o deserto". "Para onde o Senhor quer que eu vá?", Abraão tentou imaginar. "Eu lhe direi depois", disse Deus. E o livro de Hebreus conta: "... e partiu, sem saber para onde ia" (11.8). Com Maria foi exatamente a mesma coisa. Talvez, como tantas outras adolescentes, ela sonhasse com sua vida futura. Talvez pensasse: "Vou me casar com José, e teremos uma casa de tal jeito, e muitos filhos, e iremos...". Mas agora Deus a chamava para jogar tudo isso fora em troca de uma grande dúvida. Quem sabe que tipo de vida a espera agora? Não importa. Quando diz "Aqui está a serva do Senhor", Maria parte *sem saber para onde ia*.

Qualquer um que queira se tornar cristão deve fazer basicamente o mesmo que Maria e Abraão antes dela. Tornar-se cristão não é como entrar para a academia; não é um programa "viva melhor" que o ajudará a florescer e realizar seu potencial. O cristianismo não é mais um vendedor ambulante oferecendo serviços espirituais com os quais você se compromete desde que satisfaçam suas necessidades a um custo razoável. A fé cristã não é uma negociação, mas uma entrega. Significa deixar o controle da própria vida. Em "Oração da aliança", John Wesley expressa bem tal ideia:

> Não sou mais meu, mas teu.
> Coloca-me onde queres, enfileira-me com quem desejas.
> Submete-me ao fazer, submete-me ao sofrer.
> Permite que eu seja usado por ti ou deixado de lado por ti,

exaltado por ti ou diminuído por ti.
Permite-me ser pleno, permite-me estar vazio.
Permite-me ter coisas, permite-me não ter nada.
Livre e sinceramente entrego tudo ao teu prazer e
 disposição.
E agora, ó glorioso e bendito Deus, Pai, Filho e
 Espírito Santo,
és meu, e eu sou teu.
Assim seja.
E a aliança que firmei na terra,
 seja ela ratificada no céu.
Amém.[3]

COMO SEGUIR OS PASSOS DE MARIA

O chamado à entrega teologicamente fundamentada, de boa vontade e alegre é o que há de mais radical possível como contracultura no mundo ocidental moderno, que valoriza a autonomia pessoal acima de tudo. Portanto, pode ser que meus leitores fiquem espantados neste ponto. Talvez, afirmamos, os grandes heróis da fé do passado, como Maria, contassem

---

[3] John Wesley, "Covenant prayer", in: *Book of offices of the British Methodist Church* (London: Methodist, 1936). A oração também pode ser encontrada online em diversos lugares, incluindo www.beliefnet.com/columnists/prayerplainandsimple/2010/02/john-wesleys-covenant-prayer-1.html, acesso em: 29 mar. 2017.

com recursos espirituais para esse tipo de coisa que nós não temos. Não acredite nisso. Na verdade, dispomos de melhores recursos do que Maria. Há uma penúltima e uma última razão pelas quais podemos segui-la por esse caminho.

A penúltima consiste em reconhecer que, se nos comprometemos com Deus, podemos confiar que ele está comprometido conosco. Jesus certa vez perguntou a seus discípulos: "E qual pai dentre vós, se o filho [...] lhe pedir peixe, lhe dará uma cobra em lugar do peixe?" (Lc 11.11). Ele então concluiu que Deus é infinitamente mais generoso do que os pais terrenos e "dará o Espírito Santo" a todos que pedirem (Lc 11.13). Isso não significa que a Bíblia garanta que a vida correrá sempre bem para os cristãos — longe disso. Todavia, quando as decepções e as dificuldades levarem mais os crentes cristãos para os braços de Deus — para fazer dele mais e mais seu significado, satisfação, identidade e esperança — eles descobrirão com o passar do tempo que estão se tornando muito mais fundamentados, resilientes, felizes e sábios. Paulo escreve:

> Por isso não nos desanimamos. Ainda que o nosso exterior esteja se desgastando, o nosso interior está sendo renovado todos os dias. Pois nossa tribulação

leve e passageira produz para nós uma glória incomparável, de valor eterno, pois não fixamos o olhar nas coisas visíveis, mas naquelas que não se veem; pois as visíveis são temporárias, ao passo que as que não se veem são eternas (2Co 4.16-18).

De alguma maneira misteriosa, problemas e sofrimento nos refinam como o ouro e nos convertem, interna e espiritualmente, em algo belo e grandioso.

Veja o caso da própria Maria. Essa menina, com não mais de quinze anos, quase na base da pirâmide social, sabia que, caso se rendesse a Deus, desceria ainda mais. No entanto, foi o que ela fez de imediato, e passou pela agonia de ver o filho ser torturado e morrer jovem. Pense em toda a escuridão que ela abraçou ao declarar: "Aqui está a serva do Senhor". No entanto, veja! Hoje a maioria das pessoas do mundo sabe quem ela é. Porque se humilhou e se fez serva, Maria se tornou uma das grandes personagens da História. Isso ilustra em cores vívidas que "quem a si mesmo se exaltar, será humilhado; e quem a si mesmo se humilhar, será exaltado" (Mt 23.12) e que "quem quiser preservar sua vida, irá perdê-la; mas quem perder a vida por minha causa, este a preservará" (Mt 16.25).

Maria está dizendo: "Sou só uma menina pobre, inculta e serei uma pária social se o senhor trouxer essa criança para dentro da minha vida. Como uma coisa *dessas* salvará o mundo?". E a resposta do anjo é, literalmente: "... para Deus nada é impossível" ("Nenhuma palavra de Deus jamais falhará") (Lc 1.37). A História mostra o quanto ele estava certo.

Portanto, entregue-se a ele e não subestime o que ele pode fazer em você e por seu intermédio, se você se colocar em suas mãos. Como Paulo escreveu em 2Coríntios, se a ele nos doarmos por inteiro, ele fará grandes coisas até em meio aos nossos problemas. Um autor cristão relata a seguinte fábula:

> Conta-se a velha história de um rei que saiu pelas ruas da aldeia para cumprimentar seus súditos. Um mendigo sentado junto à estrada estendeu ansioso o prato de esmolas, certo da generosidade do rei. Em vez disso, o soberano pediu ao mendigo que *lhe* desse alguma coisa. Espantado, o homem pescou três grãos de arroz dentro do prato e deixou-os cair na mão estendida do rei. Ao fim do dia, quando o mendigo virou o prato para despejar o que ganhara, encontrou no fim, para seu espanto, três grãos de ouro puro. "Ah, quisera eu ter-lhe dado tudo!"[4]

---

[4]Elisabeth Elliot, *The path of loneliness* (Grand Rapids: Fleming H. Revell/Baker Books, 2001), p. 124.

Uma razão pela qual podemos dar a nós mesmos para Jesus é porque temos melhor visão do que Maria do "peso de glória eterno" que está sendo alcançado quando lhe obedecemos. Mas essa não pode ser a razão maior pela qual nos rendemos a ele. Nossa grande motivação para isso não pode ser o apelo ao que ele fará *em* nós. Deve ser amá-lo pelo que ele fez *por* nós.

Maria diz: "... cumpra-se em mim a tua palavra..." (Lc 1.38). Isso se parece demais com o que seu filho diria um dia: "... não seja como eu quero, mas como tu queres" (Mt 26.39). Ela fez sua entrega *antes* de saber o que Jesus faria em seu favor. Sabemos que, para cada sacrifício que Maria fez por ele, Jesus fez infinitamente mais por ela. Maria aceitou se rebaixar no mundo — mas, pense no quanto o Filho de Deus desceu, do céu à terra. Naquela cultura brutal de vergonha e honra, ela sabia que estava aceitando a vontade de Deus, mesmo correndo risco de vida. Mas Jesus aceitou a vontade de Deus ciente de que lhe custaria tudo.

No jardim do Getsêmani, ele disse que não queria "o cálice", não queria o sofrimento. Mas, em outras palavras, disse também: "Cumpra-se em mim de acordo com a tua palavra". Quando falou isso, Jesus sabia que sua obediência ao Pai significaria um mergulho em trevas infinitas, insondáveis, diferentes de tudo que alguém já conhecera. Saiu sem saber para onde ia. Mas ó, veja a redenção infinita e eterna que resultou de sua obediência — um peso de glória eterno para todos nós.

Agora você enxerga os recursos melhores de que dispomos? Diferentemente de Maria, podemos ler as narrativas vívidas, ver Jesus sendo o grande Servo, rendendo sua vontade, tudo por nós. Isso nos habilita a dizer: "Senhor, se fizeste isso por mim, então posso confiar em ti e fazer isso por ti". Se Maria, um ser humano como todos os demais dentre nós, pôde fazer isso sem saber ainda sobre a cruz, então também podemos. Que não sejamos reprovados no teste pelo qual Maria passou, uma simples adolescente. Ela aponta o caminho para nós.

6

✶

A FÉ DOS PASTORES

Naquela mesma região, havia pastores que estavam no campo, à noite, tomando conta do rebanho. E um anjo do Senhor apareceu diante deles, e a glória do Senhor os cercou de resplendor; e ficaram com muito medo. Mas o anjo lhes disse: Não temais, porque vos trago novas de grande alegria para todo o povo; é que hoje, na Cidade de Davi, vos nasceu o Salvador, que é Cristo, o Senhor. E este será o sinal para vós: achareis um menino envolto em panos, deitado em uma manjedoura. Então, de repente, uma grande multidão do exército celestial apareceu junto ao anjo, louvando a Deus e dizendo:

Glória a Deus nas maiores alturas,
e paz na terra entre os homens a quem ele ama.

E logo que os anjos se retiraram, indo para o céu, os pastores disseram uns aos outros: Vamos já até Belém para ver isso que aconteceu e que o Senhor nos revelou. Foram, então, com toda pressa, e acharam Maria e José, e o menino deitado na manjedoura; e, vendo-o, contaram a todos o que lhes havia sido dito sobre o menino; e todos os que ouviam os pastores ficavam muito admirados. Maria, porém, guardava todas essas coisas, meditando sobre elas no coração. E os pastores voltaram glorificando e louvando a Deus por tudo o que tinham visto e ouvido, como lhes fora falado (Lc 2.8-20).

Nas encenações de Natal, a cada ano milhares de crianças vestem roupões de banho para representar o papel dos pastores. Habituamo-nos a associar pastores ao nascimento de Cristo, mas o que eles fazem ali? Que papel desempenham? Infelizmente, o significado dos pastores se converteu em mero sentimentalismo. Na nossa imaginação, evocamos cenas pastorais graciosas e carneirinhos fofos. Contudo, não foi por isso que Lucas escolheu esse acontecimento, dentre vários outros que poderia nos relatar relacionados ao nascimento de Cristo. Ele tentava trazer algum ensinamento. Aos pastores, como a Maria, foi transmitida uma mensagem angelical. Em resposta, eles ouviram com atenção, superaram seus temores e saíram pelo mundo levando a novidade com alegria a todas as pessoas. Estudando o que fizeram, aprendemos sobre como devemos reagir diante das promessas do Natal. Trabalhando do fim ao começo da passagem, examinaremos quatro coisas que devemos pôr em prática.

OUVIR BEM

Os pastores ouviram falar de Jesus por meio dos anjos e partiram para vê-lo com os próprios olhos (Lc 2.15). Em seguida, "contaram a todos" (v. 17). Transmitiram a outros o que os anjos haviam dito e acrescentaram o próprio testemunho ocular à mensagem (v. 17). O resultado foi que as pessoas que ouviram os pastores ficaram "admiradas", todavia não está escrito que foram levadas a crer. A mensagem, no entanto, causou um efeito mais poderoso sobre os pastores, os quais "voltaram glorificando e louvando a Deus por tudo o que tinham visto e ouvido" (v. 20).

Nesses versículos, Lucas nos fala da importância de ouvir bem. "... a fé vem pelo ouvir, e o ouvir, pela palavra de Cristo" (Rm 10.17). Um dos problemas constantes no meu casamento é meu eterno fracasso em ouvir de verdade minha esposa, Kathy. Com frequência surge alguma coisa sobre a qual pergunto para ela, que me responde: "Já lhe falei sobre isso. Você não estava ouvindo?". Muitas vezes a resposta mais exata é: "Sim, só que não". Sim... lembro-me de você falar a respeito. Só que não... não deixei de fato a informação ser digerida dentro de mim, não lhe dei a atenção devida, não pensei em todas as implicações.

O texto nos oferece alguma orientação sobre como ouvir bem espiritualmente. Mostra-nos algo com que precisamos tomar cuidado e algo para fazermos.

Temos de tomar cuidado com a possibilidade de nos distrairmos em demasia com a qualidade dos mensageiros. Observe que os pastores parecem ter sido mais profundamente afetados do que as outras pessoas. Talvez porque eles ouviram a mensagem dos anjos e os outros, de pastores comuns. Conforme muitos sermões de Natal lhe revelarão com propriedade, os pastores não ocupavam posição social elevada nas sociedades antigas. Não eram educados; não tinham poder social. Aqueles pastores ouviram palavras proferidas por anjos. Que eram (podemos imaginar!) oradores fascinantes e impressionantes, para dizer o mínimo. As outras pessoas, no entanto, ouviram o evangelho de seres humanos nada eloquentes, nem um pouco impressionantes. Se uma mensagem é desafiadora ou difícil de crer, é fácil desprezá-la, fixando a atenção no mensageiro. "Por que crer em alguém *assim*?"

Nós mesmos nos encontramos em posição muito semelhante. Os autores da Bíblia, em alguns casos, viram de fato anjos, tiveram revelações diretamente de Deus ou, no caso dos apóstolos, conheceram Jesus Cristo em pessoa. Os autores bíblicos tinham visões e revelações, mas nós... só temos um livro. E, com ele, seres demasiadamente humanos que o transmitem na condição de pregadores, professores e mensageiros. Esse é um sério problema para uma sociedade como a nossa, que parece sofrer de um transtorno de déficit de atenção abrange toda a cultura em que estamos inseridos. Nada mais fácil que não ouvir de verdade a Palavra de Deus, pois ela nos chega por meios nem um pouco espetaculares. A Bíblia é um livro volumoso e de modo algum é uma leitura simples. Pregadores e professores são notórios em sua imperfeição, e o tropeço de um deles parece ser uma autorização para que nos afastemos de toda iniciativa cristã, incluindo Bíblia e tudo mais.

No entanto, nossos instintos aqui não são confiáveis. Até um mensageiro cômico poderia transmitir uma mensagem verdadeira. A jumenta de Balaão — não há como negar — era uma jumenta. Todavia, em um dos relatos mais estranhos e interessantes da Bíblia, Deus falou a Balaão por intermédio dela (Nm 22.21-39). A lição é que o meio *não* é a mensagem, que não devemos ignorar verdades incômodas só porque vêm por intermédio de um mensageiro inexpressivo. Com frequência ouço pessoas dizerem que foram a tal e tal igreja e o pregador ficou em uma lenga-lenga entediante que não acabava mais.

Costumo contra-argumentar: "Está bem, mas havia erros no sermão? Embora transmitida de maneira enfadonha, a verdade divina foi exposta para vocês?".

Devemos tomar cuidado com nossos preconceitos. Se ouvir sem escutar de verdade é ruim para o casamento, é também destrutivo para nosso relacionamento com Deus. A Bíblia existe em uma forma extraordinariamente fácil de ignorar. Seus professores e pregadores costumam ser desinteressantes, mas não podemos permitir que isso nos impeça de ouvir. As Escrituras contêm um tesouro de valor infinito, mais do que o ouro e a prata em todas as profundidades da terra (Sl 19.10; 119.72). Cuidado para não perdê-lo devido à imperfeição dos mensageiros. Isso nos leva a considerar o que o texto nos encoraja efetivamente a fazer.

Mais uma vez Maria é nosso exemplo. Duas palavras descrevem como ela ouviu a Palavra de Deus. Primeiro, Lucas 2.19 diz que ela "meditou" no que ouviu dos pastores. Os estudiosos ensinam que o termo grego significa pôr em contexto, estabelecer relação, refletir sobre determinado assunto. É olhar para um versículo da Bíblia e perguntar: "O que essa palavra significa? Como ela se ajusta às outras coisas que sei serem verdade? Como isso se harmoniza ao restante da Bíblia?". Em Salmos 119.130 lemos:

"O desenrolar das tuas palavras concede luz…" (NIV). A metáfora do desenrolar talvez seja ainda mais sugestiva hoje do que quando utilizada pela primeira vez. Atualmente há muitos produtos, como jaquetas e parcas, que vêm acondicionados em pequenos invólucros ou bolsas. Quando abertas, essas roupas se desenrolam até atingir um tamanho muitas vezes maior do que o original. A Bíblia é assim, só que infinitamente mais. Pode-se descobrir que o que parece uma declaração simples, quando submetida a meditação, tem múltiplas dimensões de sentido e aplicações pessoais infinitas — muito mais do que jamais se descobriria com um olhar superficial.

Naquela conferência cristã que tanto colaborou para minha formação, mencionada lá atrás, houve uma aula sobre como ler a Bíblia. A palestrante, Barbara Boyd, nos disse: "Nos próximos trinta minutos, escrevam trinta aprendizados de Marcos 1.17", em que está escrito: "Disse-lhes Jesus: Vinde a mim, e eu vos tornarei pescadores de homens". Em seguida nos instruiu: "Não pensem, depois de dez minutos e quatro ou cinco anotações em um pedaço de papel, que entenderam tudo. Usem todos os trinta minutos e tentem chegar às trinta coisas que pedi". De modo que permanecemos em silêncio e fizemos como fôramos orientados. De fato, depois de mais ou menos dez minutos, eu estava bastante certo de que vira tudo que havia para ver nas doze palavras do versículo. Deixei a caneta em cima do caderno e quis passar o resto do tempo divagando, mas todas as outras pessoas pareciam trabalhar ainda, por isso tornei a pegar a caneta e me pus a meditar mais um pouco. Comecei então a observar coisas novas. Se imaginasse o que a frase diria *sem* uma das palavras que a compunham, seria mais fácil avaliar o sentido único que ela dava à frase. Isso me capacitou a fazer outras duas ou três descobertas relacionadas a cada termo. Em seguida tentei parafrasear o versículo inteiro, colocando-o em minhas próprias palavras. Isso me mostrou mais níveis de sentido e mais implicações que haviam me passado despercebidas.

No fim dos trinta minutos, a professora nos pediu para circularmos em nosso caderno a melhor descoberta ou possibilidade de transformar a vida que extraíramos do texto. Em seguida, quis saber: "Muito bem, quantos de vocês descobriram essa coisa mais incrível e transformadora de vida nos cinco primeiros minutos?". Ninguém levantou a mão. "Dez minutos?" Ninguém. "Quinze minutos?" Algumas mãos. "Vinte minutos?" Mais algumas. "Vinte e cinco minutos?" Mais ainda. Aquela aula mudou minha atitude para com a Bíblia e, na verdade, a minha vida.

> Tua Palavra é como mina profunda, bem profunda;
> e há joias ricas e raras
> escondidas em suas imensas profundezas
> para cada um que as buscar.[1]

Contudo, Lucas 2.19 afirma que Maria não apenas meditou como também "guardou" o que ouviu. Essa expressão tem mais relação com as emoções e o coração. Significa manter algo vivo ou saborear. Maria não tenta compreender a Palavra de Deus apenas no sentido cognitivo. Ela a absorve toda, por assim dizer, de modo a apreciá-la e experimentá-la. Guardar é menos uma técnica do que uma atitude.

Em outro lugar a Bíblia diz o seguinte: "Guardei a tua palavra no meu coração para não pecar contra ti" (Sl 119.11). Guardar a mensagem no meu coração significa não só interpretá-la, mas permitir que me afete profundamente. Em certo sentido, quer dizer pregar para mim mesmo, lembrar a mim mesmo a preciosidade, o valor, a maravilha e o poder da verdade particular que estou entesourando. É perguntar a mim mesmo: "Em que minha vida seria diferente se eu cresse *mesmo* nisso do fundo do coração? Em que

---

[1] Edwin Hodder, "Thy Word is like a garden, Lord" (1863). O hino pode ser encontrado em http://www.hymntime.com/tch/htm/t/h/y/thywilgl.htm, acesso em: 29 mar. 2017.

meu pensamento, sentimentos e ações mudariam? Como mudariam os meus relacionamentos? Como mudariam minha vida de oração, meus sentimentos e atitude para com Deus?".

Se não fizer as duas coisas — meditar na Palavra de Deus e guardá-la — você não ouvirá de verdade a mensagem. Seus ouvidos sim, mas não sua mente e seu coração. A mensagem não calará fundo, não o consolará, nem o convencerá ou transformará.

FAZER AS PAZES

Na porção central da passagem de Lucas 2, ouvimos um dos mais famosos textos cristãos de todos os tempos. A versão Almeida Corrigida e Fiel (ACF) traz: "... Paz na terra, boa vontade para com os homens" (v. 14). Mas várias traduções modernas dizem mais ou menos assim: "Paz na terra para aqueles sobre os quais descansa sua bondade graciosa". O consenso acadêmico esmagador é de que essa é uma tradução mais precisa, mas qual a diferença? O antigo fraseado parecia afirmar que o Natal significava que todo o mundo teria paz por meio de Cristo. A versão mais recente parece dizer que só os favoritos de Deus terão paz por seu intermédio. Nenhuma dessas interpretações é a mais precisa.

Para chegar ao melhor entendimento dessa famosa proclamação, precisamos nos lembrar do sentido habitual de "paz" na Bíblia. Não se trata de uma tranquilidade genérica, acompanhada de prosperidade e de uma vida livre de problemas. "Paz" significa o fim da inimizade e da guerra. E, como vimos no capítulo 4, a Bíblia diz que a paz mais fundamental e importante é a *paz com Deus*. O coração humano natural deseja ser rei, por isso hostiliza as reivindicações de senhorio de Deus sobre nós. Enquanto não virmos nossa hostilidade instintiva contra a autoridade divina, não conseguiremos entender uma das grandes e profundas molas mestras de todo o comportamento humano. Estamos comprometidos com a ideia de que o único jeito de ser feliz é se deter o controle total da nossa vida. Claro, esse desejo egocêntrico de comandar e controlar leva ao conflito com outros seres humanos. Assim, as hostilidades contra Deus levam a hostilidades contra os outros. Não há paz alguma na terra porque não há paz alguma com Deus.

A proclamação do Natal, no entanto, é "Deus e pecadores reconciliados". Jesus é o mediador perfeito entre partes alienadas pelo conflito. Ao assumir a natureza humana, o Deus-homem une os dois lados do abismo, morre por nossos pecados, elimina a ruptura e promove a paz (Rm 5.1-11). Como podemos ter essa paz com Deus?

Lembre-se, há mais de um modo de expressar sua hostilidade contra o domínio divino. A pessoa irreligiosa declara de maneira explícita sua independência de Deus: "Quero viver como bem entendo!". Mas a pessoa religiosa faz isso de maneira bem mais dissimulada: "Obedecerei à Bíblia e farei todas essas coisas, e agora Deus *terá* de me abençoar e me dar uma vida boa". Esse esforço visa controlar Deus, não confiar nele. Quando você obedece a Deus a fim de fazer por merecer sua bênção e o céu, está buscando, por assim dizer, ser seu próprio salvador. As duas estratégias são hostis a Deus. Não lhe permitem ser nem seu soberano, nem seu salvador.

O primeiro passo em direção à paz com Deus é reconhecer a existência de um conflito. Um modo de fazer isso é dizendo: "Não só tenho feito coisas *ruins* como até as coisas *boas* que faço têm sido com o intuito de me tornar meu próprio salvador, de assegurar minha independência do meu Criador e Redentor. Por isso necessito ser salvo por pura graça, pois até as coisas certas que pratico têm sido feitas pelos motivos errados. Preciso descansar completamente na obra salvadora de Jesus em meu favor". Ao dizer isso, você enfim reconhece toda a extensão de sua resistência à soberania do Senhor. Confessa a sua incapacidade de salvar a si mesmo. Descansa no que o senhor Jesus Cristo fez e se afasta do seu antigo modo de vida. Isso é fazer as pazes com Deus.

Então, isso nos mostra que o Natal só traz paz para os crentes cristãos? Não. No Sermão do Monte, Jesus nos ensina que todos os seus discípulos podem ser "pacificadores" (Mt 5.9). Pacificadores são pessoas que, pelo estabelecimento da paz com Deus, afinal aprenderam a reconhecer falhas e fraquezas, a entregar seu orgulho, a amar sem a necessidade de controlar cada situação. Essas novas habilidades têm enorme poder para desarmar conflitos, possibilitar o perdão e a reconciliação entre as pessoas. Os cristãos precisavam se espalhar pelo mundo na condição de pacificadores, agentes de reconciliação entre raças e classes, os membros das famílias e entre os próximos.

O Natal significa que, pela graça divina e a encarnação, a paz com Deus está disponível; e, se fizer as pazes com Deus, você pode então sair e fazer o mesmo com qualquer outra pessoa. Quanto maior o número de pessoas que abraçarem o evangelho e fizerem as pazes, melhor estará o mundo. Natal, portanto, significa o incremento da paz — tanto com Deus quanto entre pessoas — sobre a face da terra.

NÃO TEMA

Outro aprendizado com os pastores é um dos primeiros mencionados em nossa passagem. A tradução mais conhecida e conservadora é: "... Não temais, porque eis aqui vos trago novas de grande alegria, que será para todo o povo" (2.10, ACF). Aqui está o terceiro modo pelo qual deveríamos reagir à mensagem do Natal. Aceitar essas "novas de grande alegria" deveria pôr fim ao medo. Não deveríamos sentir medo. Por quê?

O versículo anterior diz que os pastores "ficaram com muito medo". À primeira vista, isso não nos causa estranheza, como algo incomum. Presumimos que qualquer um, ao ver algo extraordinário assim, sentiria medo. No entanto, algo mais que isso está acontecendo. Na Bíblia, as pessoas sempre experimentam ansiedade e medo traumáticos quando se aproximam de Deus, ou mesmo de anjos provenientes da sua presença. Tudo remonta à experiência original de profundo medo descrita em Gênesis 3. Ali ficamos sabendo que a humanidade foi projetada para um relacionamento perfeito com Deus. De onde se depreende que, se tivesse um relacionamento perfeito com o Senhor todo-poderoso e amoroso do mundo, você não teria medo algum. Nem dele nem de mais nada.

Esse era o plano original para a raça humana. Entendeu por que não haveria medo algum? Tememos a *rejeição* e o *fracasso*, mas, se você fosse completamente cheio do amor de Deus, não se importaria com o que as pessoas pensam. Tememos o *futuro* e as *circunstâncias*, mas, se você conhecesse perfeitamente a Deus, sabendo que ele é bom e está no controle, confiaria nele. E não temeria a *morte* por saber que estaria com ele para sempre.

Todavia, quando os seres humanos escolheram desfazer-se do governo de Deus em sua vida, romperam o relacionamento com ele e se encheram de medo, sujeitando-se ao pavor (Gn 3.8-10). A mentira da serpente entrou em nosso coração. Segundo ela: "Você precisa estar no comando da sua vida. Não deixe que mais ninguém — nem Deus — assuma o controle, porque você não será feliz. Perderá o que é melhor para você!". Essa distorção tem sido repassada a todo coração humano, criando o medo de confiar em Deus. Trata-se de fato de uma mentira, pois, por mais que tentemos, não nos é possível ter o controle da nossa vida neste mundo. Se, a fim de ficar em paz, precisamos estar no controle, sem obrigações para com ninguém, então sentiremos medo constante, pois aprendemos no decorrer da vida que estamos à mercê de pessoas e forças que não podemos prever nem administrar.

Assim, os pastores experimentaram medo diante dos anjos, mas não o simples medo do incomum. Conforme todas as demais aparições na Bíblia, isso aconteceu porque os seres humanos se sentem radicalmente ameaçados na presença do sagrado. Quando a glória de Deus surge, acentua e intensifica sempre nosso temor por estarmos alienados de Deus. No entanto, o anjo traz uma mensagem surpreendente: "Vocês não terão mais de sentir medo se *olharem* para o que estou lhes mostrando". O medo que habita a profundidade da nossa alma pode ser dissipado para sempre. Como? Os anjos dizem: "Não tenham medo — mas vejam!"! (cf. Lc 2.10).

VEJAM

As traduções mais antigas dizem: "... Não temais, porque eis aqui vos trago novas de grande alegria...". As traduções modernas em geral omitem o "eis", que tem o sentido de "vejam", por considerá-lo um arcaísmo. Mas, na verdade, há uma palavra grega correspondente no texto bíblico. Literalmente, o anjo diz: "Não temam. *Percebam com seus olhos*. Pois estou lhes narrando o evangelho". Esse é o princípio — vejam e não terão medo. Se reservar algum tempo para compreender (ver) o que está na mensagem do evangelho, ela afastará o medo que tem dominado e obscurecido sua vida. A ponto de lhe permitir *ver* de fato — fixar os olhos em, contemplar, apreciar, internalizar, regozijar-se em — o evangelho, a ponto de os temores de sua vida serem destruídos.

O que é esse evangelho, essa boa-nova em que devemos fixar o olhar? *Um Salvador nasceu*. Se quiser superar seu medo de rejeição e fracasso e ser cheio do amor dele, se quiser ser perdoado por completo e abandonar o fardo melancólico da autojustificação, você precisa descansar nele como seu Salvador. O medo sempre o assombra e depois o esmaga quando você busca salvar a si mesmo, conquistar seu senso de valor e construir sua própria identidade.

E quanto ao maior medo que temos — de ceder o controle? Como podemos confiar nossa vida a Deus? A resposta está no pequeno bebê na manjedoura: ele é o poderoso *Cristo, o Senhor*. Portanto pense, veja, medite. Se o Filho de Deus onipotente foi capaz de abrir mão radicalmente do controle — tudo por você — então você pode confiar nele. E isso deveria destruir seu medo.

Em 1961, os russos puseram o primeiro homem no espaço, Yuri Gagarin. Nikita Khrushchev era o líder da União Soviética e disse que, quando o cosmonauta foi para o espaço, descobriu que lá não havia

Deus nenhum. Em resposta, C. S. Lewis escreveu um artigo, "The seeing eye" ["O olho que vê"]. Dizia ele que, se há um Deus que nos criou, não poderíamos descobri-lo subindo ao céu. Deus não se relacionaria com seres humanos como um homem no segundo andar se relaciona com outro homem no primeiro. Ele se relacionaria conosco como Shakespeare faria com Hamlet. Shakespeare é o criador do mundo de Hamlet e do próprio Hamlet. Que só pode saber da existência de Shakespeare se o autor revelar informações a seu próprio respeito dentro da peça. Portanto, o único modo de saber sobre Deus é também se Deus tiver se revelado.[2]

A afirmação do Natal é infinitamente mais maravilhosa do que isso. Deus não redigiu simples "informações" para nós a respeito dele mesmo; ele se escreveu no drama da História. Entrou em nosso mundo na pessoa de Jesus Cristo para nos salvar, para morrer por nós.

Veja! Você não confiaria em alguém que fez tudo isso em seu favor? O anjo está dizendo: "Quer alívio de todo o seu medo? *Veja*! Olhe para o Natal. Veja o que ele fez". E, na mesma medida em que você vir, compreender, guardar e meditar no seu coração, nessa mesma medida esses medos começarão a diminuir. *Não tema! Veja!*

---

[2]C. S. Lewis, "The seeing eye", in: *Christian reflections* (1967; reimpr. Grand Rapids: Eerdmans, 2014), p. 206-10.

7

✴

UMA ESPADA NA ALMA

E o pai e a mãe do menino se admiravam das coisas ditas sobre ele. E Simeão os abençoou e disse a Maria, mãe do menino: Este menino está posto para queda e para elevação de muitos em Israel, e como um sinal de contradição. Assim, os pensamentos de muitos corações serão conhecidos. Quanto a ti, uma espada atravessará a tua alma! (Lc 2.33-35)

Esse é um texto de Natal, uma narrativa de nascimento extraída do evangelho de Lucas. Quando os pais de Jesus o levaram ao templo para ser circuncidado no oitavo dia, havia um senhor de idade presente, Simeão, que aguardava pelo Messias. Quando a família passou por ele, o Espírito Santo o instigou a perceber a verdadeira identidade de Jesus. Ele então pegou o bebê nos braços e proferiu palavras hoje famosas, chamadas de *Nunc dimittis*, entoadas em liturgias de adoração cristã ao longo dos séculos. A *Nunc dimittis* geralmente diz o seguinte: "Agora, Senhor, deixa teu servo partir em paz, de acordo com tua palavra, pois meus olhos viram a tua salvação". Simeão agradece a Deus por ter vivido o suficiente para ver o Messias.

A *Nunc dimittis* está contida em Lucas 2.29-32, mas Simeão não disse só isso. Lucas nos revela que, depois que Maria e José ouviram perplexos suas palavras iniciais, Simeão olhou bem dentro dos olhos de Maria e acrescentou:

> ... Este menino está posto para queda e para elevação de muitos em Israel, e como um sinal de contradição. Assim, os pensamentos de muitos corações serão conhecidos. Quanto a ti, uma espada atravessará a tua alma! (Lc 2.34,35)

É compreensível o motivo de a segunda declaração de Simeão ser relativamente desconhecida. Ela não foi musicada; não costuma ser lida nos cultos de Natal pelo mundo afora. Mas acho que deveria, pois faz parte do que a Bíblia nos diz acerca do significado do Natal e porque precisamos ouvi-la. Por quê? As comemorações tanto seculares quanto eclesiásticas do Natal se concentram normalmente em doçura e luz. Têm relação apenas com o fato de a vinda de Cristo significar paz na terra. Como vimos no último capítulo, de fato é isso mesmo. Mas não é tão simples. Como o cirurgião deixa seu corpo em paz se houver um tumor em seu interior? Derramando seu sangue, cortando você para poder abri-lo, pois esse é o único caminho para o restabelecimento de sua saúde. Como o terapeuta ajuda alguém triste, deprimido? Via de regra trazendo à tona o passado, levando o paciente a confrontar lembranças dolorosas e sentimentos terríveis. Muitas vezes o cirurgião e o terapeuta têm de fazer a pessoa se sentir pior antes que consiga se sentir melhor depois.

Em Mateus 10.34 Jesus chega a ponto de dizer: "Não penseis que vim trazer paz à terra; não vim trazer paz, mas espada". E rapidamente prossegue mostrando que não é sua intenção incitar a violência. Em vez disso, ele quer dizer que seu chamado à obediência traz conflitos — tanto internos quanto entre pessoas. Como qualquer pacificador que já viveu, Jesus enlouquece as pessoas e provoca luta e discórdia com frequência. No entanto, é por esse caminho que sua paz nos alcança.

ELE CAUSA CONFLITOS ENTRE PESSOAS

A primeira parte da profecia de Simeão é que Jesus provocará "queda e [...] elevação" e será "como um sinal de contradição". Em outras palavras, haverá polarização de opiniões, e muitas pessoas se oporão a Jesus. Isso causará conflitos.

Investigamos parte do motivo dessa reação por algumas das pessoas — a magnitude das afirmações de autoridade de Jesus. Mas não é só isso. Em João 3.19,20, Jesus diz que as pessoas "[amam] as trevas em lugar da luz" e odeiam a luz porque ela as expõe como são de fato. Mesmo em um nível muito básico, você pode ver esse princípio em operação. Certa vez conheci uma família branca que se mostrou muito hospitaleira para com a primeira família afro-americana que se mudou para o bairro em que moravam. Seus vizinhos brancos ficaram furiosos com eles. Durante anos, esses vizinhos tinham tratado com frieza qualquer nova família de não brancos. A família amistosa obrigou os vizinhos a sentir a pressão de se mostrarem mais abertos e se envolverem, e eles não gostaram nada disso.

Também conheci um policial que, depois de se converter ao cristianismo, deixou de aceitar o dinheiro que os cafetões locais repassavam discretamente na área de atuação da sua delegacia para que ninguém prendesse suas prostitutas. Dois outros policiais chegaram para ele e avisaram: "É melhor você tomar cuidado. Está deixando os rapazes bastante nervosos. Você precisa aceitar o dinheiro". Ele se recusou e, depois de receber algumas ameaças anônimas, teve de se mudar de cidade. Você percebe o princípio em operação? Você não precisa ser Jesus Cristo para deixar as pessoas furiosas quando expostas pelo que são. Basta levar uma vida honesta e correta para desmascarar a fofoca no escritório, a corrupção no governo, o racismo na vizinhança. A manjedoura do Natal significa que, se viver como Jesus, não haverá lugar para você em muitas estalagens.

Nos primeiros dias do cristianismo, havia na sociedade romana inúmeros deuses, cultos religiosos e religiões misteriosas. Naquela cultura, esperava-se que você tivesse sua fé particular e seus próprios deuses. Contudo, em se tratando de honrar os deuses de cada cidade e o divino imperador em pessoa, você era obrigado a participar. Os lares romanos, as entidades públicas e civis, os locais de comércio, as associações de negociantes e as unidades militares tinham cada um deles seus deuses protetores e cerimônias públicas regulares dedicadas a eles. Até os jantares mais formais incluíam o reconhecimento dos deuses locais. Recusar-se a participar suscitava desconfianças, ressentimento e raiva — e o medo de retaliação divina contra a comunidade inteira.

Logo ficou claro que o cristianismo era bastante diferente dessas outras religiões. Não só os cristãos não tinham sacerdotes, sacrifícios ou templos como consideravam o sacrifício a qualquer outro deus uma idolatria. A exclusividade da crença cristã e a convicção deles de que Jesus não era apenas um deus, mas *o* Deus, colocava os cristãos em rota de colisão com quase todo o mundo naquela sociedade pluralista em termos religiosos. Os cristãos intolerantes pareciam ser uma ameaça a toda a ordem social. Os historiadores explicam que, em razão disso, os primeiros cristãos eram deserdados com frequência, excluídos de empregos em órgãos do governo, afastados das melhores relações de negócios e de vez em quando sofriam abusos físicos e prisão.[1]

Em nossa atual sociedade secular, os não cristãos não temem a represália divina, mas cada vez mais nossa cultura também vê os cristãos como uma ameaça para a ordem social. As crenças do cristão tradicional são mais uma vez encaradas como perigosamente intolerantes, e alguns tipos de restrições e exclusões também podem vir a fazer parte do seu futuro. Portanto, a mensagem do evangelho traz hostilidade porque ela é considerada — a todo momento — intolerante.

Como vimos, existe uma hostilidade contra o cristianismo ainda mais fundamental. Romanos 1 nos diz

---

[1] Larry Hurtado, *Why on earth did anyone become a Christian in the first three centuries?* (Milwaukee: Marquette University Press, 2016), p. 73-94.

que no fundo sabemos que necessitamos de Deus, mas reprimimos esse conhecimento (Rm 1.18-20). Todos os seres humanos têm um motor de autojustificação no fundo do coração. Precisamos acreditar que somos competentes para controlar nossa própria vida e para nos salvar. O que impeça esse motor de funcionar nos deixa muito bravos. Não existe problema maior para todo esse complexo de repressão e negação do que o próprio Jesus. Tudo que lhe diz respeito nos alerta: "Ou não sabeis [...] que não sois de vós mesmos? Pois fostes comprados por preço..." (1Co 6.19,20). Ninguém quer escutar isso. Não nos surpreende que tenham ficado loucos com ele. Caso se identifique com Jesus e não esconda essa sua ligação, algumas pessoas ficarão loucas com você também.

É perigoso falar sobre isso, pois os cristãos são seres humanos falhos e com frequência provocamos censuras por causa de hipocrisia e intolerância. Não devemos tentar justificar nossas próprias falhas e desvios de conduta reclamando que estamos sendo perseguidos. Às vezes as pessoas simplesmente se sentem ofendidas por *nós*, e elas têm esse direito. Mas Simeão está dizendo que existe um caráter ofensivo no próprio Jesus, e todas as vezes e em todos os lugares em que esse caráter encontra expressão e alguém se identifica com Jesus, será visto como ofensivo também.

A vinda de Jesus para nossa vida faz de nós pacificadores, contudo também traz conflitos. Se você é um cristão comprometido, então conhecerá tanto os triunfos da pacificação quanto a angústia da oposição. Os cristãos costumam se sentir como o salmista ao escrever: "Sou pela paz; mas, até quando falo, eles insistem na guerra" (Sl 120.7).

ELE CAUSA CONFLITOS NO INTERIOR DAS PESSOAS

Simeão não para por aí. Ainda olhando para Maria, acrescenta: "... Quanto a ti, uma espada atravessará a tua alma!" (Lc 2.35). De fato, foi o que aconteceu. Sabemos, por exemplo, que Maria se postou junto à cruz e assistiu à morte do filho (Jo 19.25). Sim, havia anos que ela conhecia e meditava em todos os testemunhos de que seu filho era o Cristo, o Messias. Contudo, como todas as outras pessoas que o cercavam, ela não tinha qualquer expectativa de uma morte prematura e terrível, seguida de uma ressurreição. Deve ter-lhe parecido, como a todos os discípulos de Jesus, que a cruz era o fim sangrento e incompreensível de todas as suas esperanças e sonhos. A essa terrível desilusão Maria podia acrescentar a angústia única e a dor sem fim de sobreviver ao filho, vendo-o morrer.

Mesmo antes disso, o ministério de Jesus criara grande confusão para Maria. Em Marcos 3, "a mãe e os irmãos de Jesus" (v. 31) achavam loucura, literalmente, suas afirmações e ministério. Lemos que saíram para levá-lo a força para casa, pois ele estava "fora de si" (v. 21). Quando chegaram onde ele se encontrava ministrando e o chamaram para que os acompanhasse, Jesus precisou repudiá-los. Isso não significa a ruptura do relacionamento com a mãe, pois mesmo quando estava morrendo ele a amou e deu um jeito de cuidar dela (Jo 19.25-27). Mas, quando Maria e o restante da família lhe disseram para parar de pregar e ensinar, ele retrucou: "... Quem *é* minha mãe e quem *são* meus irmãos?" (Mc 3.33, grifos do autor). Em seguida, olhando em volta para a multidão e os seus discípulos, disse: "... Aqui estão minha mãe e meus irmãos! Aquele, pois, que fizer a vontade de Deus, esse é meu irmão, irmã e mãe" (v. 34,35).

Poucas pessoas apresentadas a nós no Novo Testamento são mais admiráveis e cativantes do que Maria. Vimos sua resposta maravilhosa aos anjos e a resposta sábia aos pastores. Contudo, vemos aqui que nem Maria teve a compreensão de tudo. Estava seriamente equivocada quanto a quem era seu filho, o que precisava ser feito e qual deveria ser sua reação. Tentou impedi-lo, obstruir o ministério que representaria a salvação para o mundo. Esse foi um erro enorme, e a repreensão dele deve tê-la magoado muito.

De novo vemos Maria em pé a nossa frente como uma representante de todos que amam Jesus. Se você o ama e o tem em sua vida, uma espada também atravessará seu coração. Haverá conflito interior, às vezes confusão, às vezes grande dor. Você entenderá tudo errado. Talvez até lute com ele, e consigo mesmo.

Por quê? Como J. C. Ryle, bispo anglicano do século 19, escreveu sobre o cristão: "O filho de Deus carrega em si grandes marcas. [...] Pode ser conhecido por sua *batalha* interior — bem como por sua *paz* interior".[2] Quando você deposita fé em Cristo, muitas lutas, algumas delas, chegam ao fim. A luta para afirmar a si mesmo, para encontrar uma identidade, para ter um significado na vida capaz de lidar com o sofrimento, para encontrar verdadeira satisfação, todas elas se resolvem. Contudo, um conjunto novo de lutas é desencadeado pela fé em Cristo. Por isso Ryle pode dizer que o verdadeiro cristão é conhecido não apenas pela nova paz, mas também pelo novo conflito. Ele o explica:

---

[2] J. C. Ryle, *Holiness* (*Abridged*): *its nature, difficulties, hindrances, and roots* (Chicago: Moody, 2010), p. 119.

> Há milhares de homens e mulheres que vão às igrejas e capelas todo domingo e se dizem cristãos. Seus nomes constam do registro batismal. São considerados cristãos durante toda a vida. Casam-se em uma cerimônia cristã. São enterrados como cristãos. Mas você nunca vê nenhuma "luta" relacionada com a religião deles! De contendas, esforços, conflitos, abnegação, vigílias e guerras espirituais, eles não sabem literalmente nada. Esse cristianismo [...] não é o cristianismo da Bíblia. Não é a religião que o Senhor Jesus fundou e seus apóstolos pregaram. O verdadeiro cristianismo é "uma luta".[3]

Os floreados retóricos de Ryle podem ser mais adequados à Inglaterra vitoriana do que aos dias de hoje, mas ele tem toda razão. A nova paz que Cristo traz não vem sem novo conflito. Consideremos dois sentidos em que isso é verdade.

Primeiro, porque *a paz de Deus acontece após o conflito interior do arrependimento*. Arrepender-se é como usar antisséptico. Você passa antisséptico sobre uma ferida e ela arde, mas sara. Assim funciona o arrependimento. Ele cria uma turbulência interior terrível, pois você se vê obrigado a admitir o que não quer

---
[3] Ibidem, p. 111.

admitir. Tem de reconhecer fraquezas que não quer reconhecer. Todavia, esse é o único caminho para a nova paz do perdão, da reconciliação e do perdão. E ele destrói seu orgulho e justiça própria, um fardo terrível de carregar, bem como para quem está ao seu redor. Não há como entrar na nova paz que o arrependimento traz sem passar por essa dor.

Em segundo lugar, porque *a paz de Deus acontece depois do conflito imposto pela submissão*. Em Romanos 6—8, Paulo fala da batalha interior do cristão entre o velho e o novo homem. O velho homem continua a querer que você seja seu próprio senhor, mas o novo homem conhece a paz de deixar Deus ser Deus. Quando duas vontades se cruzam, é claro que haverá luta! Todavia, quando atravessamos cada um desses conflitos com Deus e enfim dizemos: "Seja feita não a minha, mas a tua vontade", aprofundamo-nos em sua paz.

Conheço uma mulher que, em um terrível acidente, perdeu a mobilidade dos membros. Durante vários anos ela viveu cheia de amargura e raiva. Então, um dia, disse: "Deus, não tenho o direito de lhe dizer como controlar o universo". Ao romper com o que agora ficara no passado e avançar para esse novo lugar, ela desenvolveu um esplendor próprio. Tendo lutado a batalha e vencido, nada pode derrubar alguém. Uma confiança em Cristo se desenvolveu dentro dela. Ninguém nunca deveria buscar o sofrimento. Mas, se passar pelo sofrimento e depositar mais confiança nele, você encontrará um tipo de alegria indestrutível, uma força de caráter, um poder que não têm como alcançá-lo de nenhum outro modo. Esse tipo de luta pode levar a imensa paz.

Jesus avisou que veio trazer espada. Simeão disse o mesmo. Conseguimos ver o que isso significa? Que seremos alvos de hostilidade por causa de Jesus. Teremos muitas lutas dolorosas na vida cristã. O Natal, então, nos ensina que os cristãos não deveriam ceder à autopiedade. Tampouco ser míopes, pois o resultado final desses conflitos são paz e alegria mais profundas.

A palavra de Simeão é que os cristãos deveriam contar com problemas e estar prontos para eles. Deveriam contar com o conflito como forma de obter a paz. É o que vemos em Jesus, em como ele trouxe a paz mediante a agonia da cruz. Portanto, não deveríamos nos surpreender quando os conflitos se abatem sobre nós.

Como desenvolvemos a determinação de enfrentar a "espada" das provações e dificuldades? Apenas vendo como Jesus desenvolveu a determinação de enfrentar a espada suprema por nós. Gênesis 3 descreve como Deus exilou a humanidade da sua presença e da árvore da vida. Quando ele fez isso, lemos que uma "espada flamejante" foi posicionada para guardar o caminho de volta à vida eterna (Gn 3.24). Essa é outra maneira de dizer que "o salário do pecado é a morte" (Rm 6.23). O Antigo Testamento inteiro dá testemunho disso, pois, toda vez que se faz expiação pelo pecado no tabernáculo ou no templo, no lugar do homem é sacrificado um animal.

O que Jesus estava fazendo, então, quando subiu à cruz? Estava pagando a pena pelo pecado; estava passando pela espada. Que desceu sobre sua cabeça. "... [ele] foi *cortado* da terra dos viventes, pela transgressão do meu povo ele foi atingido" (Is 53.8, ACF, grifo do autor).

Não nos entreguemos à autopiedade ou à covardia. A espada que desceu sobre Jesus, a batalha que ele travou por nós, era infinitamente maior do que qualquer coisa que ele nos pede para suportar. E, quando enfrentou seu instante final, e a espada estava descendo, Jesus se viu só e desamparado, até mesmo pelo Pai (Mt 27.46). Ao atravessarmos nossas dificuldades, no entanto, jamais estamos sós. Ele sempre caminha conosco. "Estarei contigo, teus problemas a abençoar, e para ti santificarei tua mais profunda aflição."[4]

---

[4] De John Rippon, *How firm a foundation* (1787). O hino é baseado em Isaías 43.2,3 e pode ser encontrado em http://cyberhymnal.org/htm/h/f/hfirmafo.htm, acesso em: 31 mar. 2017.

E se, quando Simeão disse a Maria: "... uma espada atravessará a tua alma!", ela tivesse respondido: "Não quero uma espada em minha alma"? E se Jesus tivesse dito: "Não quero uma espada em minha alma! Não quero trazer paz dessa maneira"? Onde você estaria? Onde eu estaria? Não desista. Siga-o em direção à paz.

8

✴

A DOUTRINA DO NATAL

O que era desde o princípio, o que ouvimos, o que vimos com nossos olhos, o que contemplamos e nossas mãos apalparam, a respeito do Verbo da vida (pois a vida foi manifestada, nós a vimos, damos testemunho dela e vos anunciamos a vida eterna que estava com o Pai e a nós foi manifestada). Sim, o que vimos e ouvimos, isso vos anunciamos, para que também tenhais comunhão conosco; e a nossa comunhão é com o Pai e com seu Filho Jesus Cristo. Estas coisas vos escrevemos para que a nossa alegria seja completa (1Jo 1.1-4).

Quando pensamos no Natal, em geral recorremos a passagens da Bíblia que nos oferecem relatos do nascimento de Jesus. Queremos ouvir falar em anjos, em Maria e José, nos pastores e nos magos. O texto anterior, do início da primeira epístola de João, não nos parece de imediato um texto de Natal por não descrever o nascimento de Jesus. Contudo, embora João não relate esses eventos, ele nos dá uma explicação maravilhosamente concisa do que significa a natividade.

A SALVAÇÃO É PELA GRAÇA

Natal significa que *a salvação é pela graça*. Claro que vimos isso antes, mas observe como João explica esse fato aqui. No capítulo 1 do Evangelho de João, Jesus é chamado de "o Verbo": "No princípio era o Verbo, e o Verbo estava com Deus, e o Verbo era Deus" (Jo 1.1). Em 1João 1.1 ele é chamado de "Verbo da vida" e em seguida, no versículo 2, Jesus é chamado de "vida eterna". Quando João diz "... a vida eterna que estava com o Pai e a nós foi manifestada", está se referindo ao próprio Jesus Cristo. Essa é uma declaração surpreendente, e a questão chave é: não nos está sendo dito apenas que Jesus tem a vida eterna ou mesmo que ele a dá. O versículo afirma que ele *é* a vida eterna, a própria salvação.

Essa é uma verdade que encontramos escondida em cada passagem do Natal. Em todas as outras religiões o fundador aponta para a vida eterna, mas, por Jesus ser Deus vindo em carne, ele *é* a vida eterna. Unir-se a ele pela fé e conhecê-lo em amor é ter essa vida. Ponto-final. Não há mais nada para você alcançar ou conquistar.

Ao longo dos anos, muita gente tem me dito: "Não sei no que creio acerca de Jesus. Não sei se creio na encarnação ou nesses dogmas todos. Mas a verdade é que a doutrina não importa. O que importa é que se tenha uma vida correta". Contudo, quando você diz "Doutrina não importa; o que importa é que se tenha uma vida correta", isso *é* uma doutrina. Ela é chamada de doutrina da salvação pelas obras, em vez de pela graça. Presume que você não é tão ruim a ponto de necessitar de um salvador, de que não é tão fraco que não consiga reunir forças e viver como deveria. Na verdade, você está abraçando todo um conjunto de doutrinas acerca da natureza de Deus, da humanidade e do pecado. E a mensagem do Natal é que estão todas erradas.

Você pode acreditar que consegue fazer por merecer seu direito ao céu com Deus, ou pode rejeitar por completo a religião e acreditar que simplesmente dispõe de recursos morais em si mesmo para levar a vida que o ser humano deve viver. Caso você se encontre em uma dessas posições, no entanto, sua vida se caracterizará pelo medo e insegurança, pois jamais sentirá que está sendo bom o suficiente; ou sua vida será marcada pelo orgulho e o desdém por outras pessoas, caso sinta que na verdade já *tem* sido bom o suficiente; ou será marcada pelo ódio de si mesmo se sentir que fracassou. Você pode se descobrir perambulando de um lado para o outro entre dois ou mais desses modos de vida.

No entanto, existe outra possibilidade. Você pode acreditar na verdade do Natal, de que é salvo somente pela graça, por meio da fé, apenas em Cristo. Então obterá uma identidade humilde, porque destituída de orgulho, mas confiante e amada, porque livre de insegurança, e que lhe oferece perdão e restauração quando você falhar.

PORQUANTO O NATAL ACONTECEU DE FATO

Isso tudo nos mostra como é importante que os relatos do Natal tenham de fato acontecido. Se somos salvos por nossos esforços, então as histórias sobre Jesus só têm uma função: inspirar-nos a imitá-lo e seguir-lhe o exemplo. Não importa se essas histórias são fictícias ou não. O que importa é que nos dão exemplos segundo os quais viver. Todavia, se somos salvos pela graça, não pelo que fazemos, mas pelo que ele fez, então é crucial que os grandes acontecimentos do evangelho — a encarnação, a expiação na cruz e a ressurreição dos mortos — tenham de fato ocorrido no tempo e no espaço.

É o que esse texto confirma. Diz João: "Nós o *vimos* com os nossos olhos; *ouvimos* com nossos ouvidos; *tocamos* com nossas mãos". Por que está sendo tão enfático? Seria apenas um floreio retórico? Não.

Robert Yarbrough, estudioso do Novo Testamento, diz que os verbos correspondem aos tipos de atestação por testemunho da antiga jurisprudência. Assim, quando João escreve: "... damos testemunho dela e vos anunciamos a vida eterna..." — e em seguida fala de ouvir, ver e apalpar —, "não está falando por falar, mas praticamente depondo sob juramento".[1] Trata-se de linguagem de tribunal da corte. João está dizendo: "Este não é apenas um conjunto de belas histórias. Eu e muitos outros fomos testemunhas oculares. Testemunhamos os fatos. Vimos tudo isso acontecer de verdade. Ele viveu de verdade; morreu de verdade; levantou-se dentre os mortos de verdade".

Se o Natal for apenas uma lenda bonita, de certa forma você está sozinho. Mas, se o Natal for verdade — e João diz que ele é verdade absoluta —, então você pode ser salvo pela graça.

A COMUNHÃO COM DEUS É POSSÍVEL

Os versículos 1 e 2 são uma espécie de depoimento em juízo de que o Natal realmente aconteceu. João insiste na verdade da proclamação dos anjos de que o divino

---

[1] Robert Yarbrough, *1, 2 and 3 John*: *Baker exegetical commentary on the New Testament* (Grand Rapids: Baker Academic, 2008), p. 36.

Salvador nascera em Belém. Então, nos versículos 3 e 4, passa a descrever o objetivo dessa proclamação.

Natal nos mostra que você tem *comunhão com Deus*. João quer que os leitores acreditem no seu testemunho, a fim de que possam entrar em comunhão com aqueles que comungam com o Pai e o Filho (v. 3). A palavra utilizada aqui, *koinonia*, indica uma relação de compartilhamento mútuo. Nosso termo "comunhão" transmite essa ideia de ligação profunda, íntima, multidimensional. João está dizendo que os crentes podem entrar em comunhão pessoal com Deus, da mesma forma que os apóstolos e os outros que viram e conheceram Jesus pessoalmente tinham comunhão.

Ao longo dos anos, mantive diálogos frutíferos com vários membros e líderes de outras religiões. Perguntei-lhes como funciona de fato, na fé deles, o relacionamento do indivíduo com Deus. Em geral, essas são as respostas que recebi: as religiões orientais não admitem a possibilidade da comunhão *pessoal*. Deus é, afinal, uma força impessoal, e você pode ser absorvido por essa força, mas não ter uma comunicação pessoal com ela. Para outras crenças mundiais, Deus é pessoal, mas distante demais para que se diga que tenha uma comunhão íntima e amorosa com os crentes. Convenci-me de que o que faz a diferença no cristianismo é a encarnação. Nenhuma outra fé afirma que Deus se tornou carne. Pense no grande verso do hino de Charles Wesley: "velada em carne, a divindade vê".

Quando Moisés pediu para ver a glória de Deus, foi-lhe dito que isso o mataria, contudo em João 1 lemos que, por intermédio de Jesus, "... vimos a sua glória, como a glória do unigênito do Pai" (Jo 1.14). Charles Wesley não escreveu "velada em carne, a divindade se esconde", mas "velada em carne, a divindade *vê*". Professores de ciências instruem suas classes a olharem através de filtros para verem o sol e suas peculiaridades sem danificarem os olhos. De modo semelhante, é pela pessoa de Cristo que vemos a glória de Deus.

Se quiser conhecer Deus pessoalmente, você não pode apenas crer em verdades genéricas acerca dele ou só lhe dirigir suas orações. Deve mergulhar nos textos do evangelho. Ao lê-los, você vê Deus em forma humana. Enxergamos as perfeições divinas de maneira que podemos nos relacionar com elas. Vemos seu amor, sua humildade, seu resplendor, sua sabedoria e sua compaixão. Mas não são mais abstrações. Conseguimos vê-las em todas as suas formas da vida real, de tirar o fôlego. Você pode conhecer as glórias de Deus do Antigo Testamento, tão devastadoras e assustadoras, mas em Jesus Cristo elas se *aproximam*. Ele se torna inteligível, palpável. Acima de qualquer pessoa, ele se torna alguém com quem se pode ter um relacionamento.

O Natal e a encarnação significam que Deus se deu a um trabalho infinito para se fazer alguém a quem podemos conhecer pessoalmente.

Como é isso na realidade? Daniel Steele, um ministro metodista britânico do século 18, escreveu certa vez sobre determinada época de sua vida: "Quase toda semana, e às vezes quase todos os dias, a pressão do seu grande amor vem sobre meu coração em tal medida a ponto de fazer [...] meu ser inteiro, alma e corpo, gemer sob a pressão da quase insustentável superabundância de alegria. E, no entanto, em meio a essa plenitude, há uma fome por mais. [...] Ele destravou cada cômodo do meu ser e os preencheu e inundou a todos com a luz de sua radiante presença. [...] O ponto antes intocado foi atingido, e toda a insensibilidade que o caracterizava se diluiu na presença de [...] Jesus, o único totalmente desejável".[2]

Note que esse ministro está falando não de sua vida de oração comum, mas de uma época de extraordinária

---

[2] Daniel Steele, *Milestone papers: doctrinal, ethical, experimental on Christian progress* (New York: Phillips and Hunt, 1878), p. 80, 106, disponível em: www.cragladams.com/Steele/page80/page106, acesso em: 31 mar. 2017.

riqueza em sua vida, em que experimentou uma profundidade de comunhão pessoal com Deus que o espantou e transformou. Essa não é a experiência usual de todo cristão, mesmo do mais forte. Eu a cito para mostrar que ela é possível e, de acordo com 1João 1.1-4, que é possível devido à encarnação. Jesus se tornou o mediador que derrubou as barreiras. Esse é o tipo de comunhão com Deus que podemos ter agora.

Você sabe algo a esse respeito? Podemos descrever nossa vida de oração como participante de rica comunhão com Deus? A encarnação, o Natal, significa que Deus não se dá por satisfeito em ser um conceito ou apenas alguém que se conhece remotamente. Faça o que for necessário para se aproximar dele. O Natal é um desafio, bem como uma promessa de comunhão com Deus.

A FIM DE PODERMOS TER ALEGRIA

Natal significa *alegria* — "novas de grande alegria". Aqui no versículo 4, a passagem termina nesse mesmo tom. João está dizendo: "Minha alegria não será completa enquanto vocês não tiverem a mesma alegria na comunhão com Deus que nós temos". A ideia da alegria é importante nos escritos de João. Em João 16.22 Jesus promete que a alegria de seus seguidores será inabalável, pois a "plenitude" da alegria do próprio Cristo será reproduzida em nós (Jo 17.13), uma perspectiva notável.

A alegria de que o Novo Testamento fala é, naturalmente, felicidade. Mas não do tipo de uma efervescência, uma vertigem que vai embora diante de circunstâncias negativas. É mais como o lastro que mantém o barco estável e na vertical em cima da água. No último volume de *O senhor dos anéis*, há um momento em que há uma desesperadora impressão de desolação quanto ao futuro. O mago Gandalf parece esmagado sob o peso do mundo. Então, de repente ele ri, e revela-se que, apesar de todo o "cuidado e sofrimento" que ele experimenta, por baixo de tudo há "uma grande alegria, uma fonte de hilaridade suficiente para pôr um reino a gargalhar, se lhe fosse dado jorrar livremente".[3]

Na época em que moramos na Filadélfia, compramos uma casa ao lado de uma colina. Na verdade, o nome original da comunidade toda já fora "Hillside" [Encosta da colina]. Notamos que, por mais quente e seco que o tempo estivesse no verão, era sempre fresco

---

[3] J. R. R. Tolkien, *The lord of the rings: the return of the king* (1955; New York: Random House, 1986), p. 17 [edição em português: *O senhor dos anéis: o retorno do rei*, tradução de Lenita Maria Rimoli Esteves; Almiro Pisetta (São Paulo: Martins Fontes, 1994)].

e úmido em nosso porão. Achávamos isso estranho até um dos moradores mais antigos do bairro nos contar que havia um curso de água subterrâneo passando ao lado da colina, e logo abaixo dos alicerces de nossas casas. Mesmo quando havia escassez de água e um calor medonho, em nosso porão estava sempre fresco e confortável. O salmo 1 usa essa mesma imagem para descrever o indivíduo piedoso, o qual compara a uma árvore que não depende da água da chuva, pois suas raízes estão junto a um rio de vida (Sl 1.3).

A alegria que o Natal traz, a garantia do amor e do cuidado de Deus, é como um rio subterrâneo de alegria, uma fonte de risos que sempre lhe revigorarão, não importam as circunstâncias de sua vida.

POR INTERMÉDIO DE MEIOS ORDINÁRIOS

Gostaria de defender a ideia de que com frequência deixamos de experimentar essa alegria cristã porque os meios de alcançá-la são muito comuns.

A afirmação constante em 1João 1.1 de que "nossas mãos [o] apalparam" nunca cessa de maravilhar. Como pôde o infinito tornar-se finito, o extraordinário, algo assim corriqueiro? No entanto, esse é o cerne da mensagem do Natal: inimaginável grandeza foi acondicionada em uma manjedoura. "Nosso Deus reduzido a um palmo; incompreensivelmente feito homem".[4] O mundo não o pode compreender, pois quer espetáculo. Assim, a maior ironia reside no fato de o Natal ser o único feriado cristão que o mundo parece abraçar, ainda que sua mensagem seja a mais incompreensível para esse mundo. Jesus nasceu não em uma arena pública, mas em um estábulo. Não foi morar em um palácio, mas de imediato se tornou um refugiado sem teto. Não são celebridades que visitam-no em seu nascimento, e sim pastores. Minha esposa certa vez ouviu um palestrante cristão contar a seguinte história. No intervalo de um jogo de futebol americano, ele ficou assistindo ao esquadrão de acrobacias aéreas Blue Angels realizar suas proezas temerárias a uma velocidade supersônica sobre o estádio. No fim, um helicóptero trouxe os pilotos do campo de pouso até o meio do campo, onde desembarcaram debaixo de aplausos delirantes, vestidos de trajes de voo prateados com zíperes dos ombros às botas. O locutor comentou então: "Se eu fosse Deus enviando meu filho ao mundo, faria desse jeito — com efeitos especiais espetaculares, uma multidão aplaudindo e, claro, esses trajes de voo prateados. Contudo, não foi

---

[4] Charles Wesley, *Let heaven and earth combine* (hino n. 5), in: *Hymns for the nativity of our Lord* (London: William Strahan, 1745).

assim que Deus agiu". Em todos os detalhes, Jesus desafiou as expectativas do mundo em relação a como as celebridades deveriam agir e como os movimentos sociais deveriam começar. O mundo não consegue entender Deus na pessoa de Jesus.

A mensagem do Natal em si participa dessa condição de ser comum e usual, tão ofensiva para o mundo. Quando eu era um jovem pastor em uma cidadezinha da Virgínia, havia diversas casas e *trailers* em ruínas ao redor de nossa igreja, habitados por gente pobre e com muitos problemas sociais e pessoais. De vez em quando, alguém me dizia achar errado que nossa igreja, mais para classe média, realizasse seus cultos no meio daquele bairro sem estender a mão para os moradores. Um dia, um diácono da igreja e eu atravessamos o estacionamento da igreja para visitar uma mulher que morava em uma casa alugada. Era mãe solteira e seus relacionamentos desfeitos a tinham deixado empobrecida, deprimida, vivendo de certa forma em desgraça naquela comunidade conservadora, tradicional, e criando seus filhos quase sem auxílio ou apoio. Sentamo-nos e tivemos uma longa conversa sobre o evangelho, as boas-novas, e ela respondeu com alegria à mensagem. Confiou em Cristo.

Voltei a visitá-la cerca de uma semana depois, mas, quando nos sentamos, ela se pôs a chorar. Telefonara aquela semana para a irmã a fim de lhe contar sobre a conversa comigo e sobre sua nova fé, mas fora objeto de zombaria.

"Minha irmã respondeu: 'Vou ser bem direta. Esse pregador lhe disse que uma pessoa como *você* podia cometer todas as tolices e imoralidades que você cometeu a vida inteira e, cinco minutos antes de morrer, simplesmente se arrepender, confiar em Jesus e ser salva e tudo bem? Ele lhe disse que você não tem de levar uma vida correta de verdade para ir para o céu? Isso é ultrajante. É simples demais; fácil demais. Nunca vou acreditar em algo assim! Nem você deveria'". A irmã achava que a salvação tinha de ser uma grande façanha, conquistada mediante a realização de feitos nobres, morais. Não podia ser algo que se pede e pronto. A condição de simplicidade do evangelho ofendia seu orgulho. Expliquei para a mulher chorosa que sua garantia e conforto não eram infundados. Pegamos a Bíblia e estudamos até ela ver com clareza que Cristo veio em fraqueza e pequenez para salvar não o orgulhoso, mas aqueles que também se reconhecem fracos, pequenos e necessitados de um Salvador. Sua alegria voltou. As antigas novas do Natal ainda deixam as pessoas contentes.

A vida cristã começa não com grandes feitos e conquistas, e sim com o mais simples e ordinário gesto da humilde súplica. Então vida e alegria crescem em nós ao longo dos anos por meio de práticas triviais, quase enfadonhas. A obediência diária, a leitura e a oração, o comparecimento à adoração, o serviço aos nossos irmãos e irmãs em Cristo bem como ao próximo, a dependência de Jesus em tempos de sofrimento. E pouco a pouco nossa fé crescerá, e a base de nossa vida se aproximará daquele profundo rio de alegria.

Não se deixe afligir pela condição corriqueira dos meios de alegria, pois essa condição esconde as riquezas extraordinárias do evangelho. Não cometa o erro que o mundo sempre cometeu. Em vez disso, lembre-se:

> Quão silencioso, quão silencioso
> o dom maravilhoso é concedido!
> Assim Deus confere ao coração humano
> as bênçãos do seu céu.
> Ouvido algum pode perceber sua vinda,
> mas, neste mundo de pecado,
> onde dóceis almas ainda o receberão,
> o querido Cristo adentra.[5]

---

[5]Phillip Brooks, *O little town of Bethlehem* (1867). O hino pode ser encontrado em http://www.cyberhymnal.org/htm/o/l/olittle.htm, acesso em: 1 abr. 2017.

Esta obra foi composta em Adobe Caslon Pro,
impressa em papel offset 75 g/m², com capa em cartão 250 g/m²,
na Imprensa da Fé, em novembro de 2024.